KB198789

서른 개의
쓰잘머리 없는 이야기들

서른 개의
쓰잘머리 없는
이야기들

최지운 지음

시현사

작가의 말

　　『서른 개의 쓰잘머리 없는 이야기들』 속 '남자'와 '여자'로 호칭을 통일한 미니 픽션별 주인공들은 모두 이 시대를 살아가는 여러 인간 군상들을 형상화했으며 그들의 고민과 애환을 덤덤히 그려 냈습니다. 아주 사소하고 제목처럼 쓰잘머리 없는 이야기로 들릴지도 모르지만, 그들에게는 전혀 그렇지 않으며 그들이 보여주는 이야기를 함께 생각해 보자고 하는 것이 본 작품의 궁극적인 메시지일 것입니다.

목차

캔커피

비단 갑작스레 불어 닥친 한파가 아니었더라도 남자
의 연말은 무척 추웠다. 올해의 마지막 공무원 시험에도
똑 떨어졌기 때문이다. 이렇게 추운 연말을 보내는 게 대
체 몇 년째이던가? 그럴 때마다 남자의 몸과 마음을 데
워 주었던 건 따뜻한 캔커피, 그리고 여자의 따스한 미소
와 격려였다.

남자는 애써 씩씩한 발걸음으로 여자와 만나기로 한
약속 장소로 향했다. 도중에 편의점에 들러 캔커피를 사
는 걸 잊지 않았다. 운 좋게 남자가 평소에 즐겨 마시던
브랜드의 캔커피가 원 플러스 원 행사를 하는 중이었다.
오늘은 서로 하나씩 캔커피를 나눠 가지며 위로의 건배
를 나눌 수 있겠다는 생각에 남자는 살며시 입가에 미소
를 지었다. 남자는 호기롭게 온장고에서 캔커피 두 개를

꺼냈다.

언제나 약속 장소에 일찍 나타나는 쪽은 남자였다. 여자는 매번 이런저런 핑계를 늘어놓으며 늦곤 했다. 오늘도 마찬가지였다. 그래도 남자는 여자에게 싫은 소리를 하거나 그녀를 기다리는 시간을 결코 아까워해 본 적이 없었다. 그저 공무원 수험서를 들여다보며 말없이 기다릴 뿐이었다.

다만 캔커피가 식는 게 다소 맘에 걸렸다. 남자는 온기를 확인하고자 점퍼 주머니에서 캔커피를 꺼내 볼에 갖다 댔다. 캔커피는 편의점 온장고에서 막 꺼냈을 적에 비해 많이 식어 있었다. 때마침 두툼한 점퍼 차림이지만 발걸음만은 리드미컬한 여자가 자신이 앉은 공원 벤치로 다가오는 게 보였다. 그녀는 자신의 상반신을 전부 가릴 정도로 두툼한 책들을 한 아름 안고 있었다. 모두 대한민국 국민이라면 누구나 들어가길 원하는 모 대기업의 입사 수험서들이었다.

남자가 캔커피를 든 손을 반갑게 흔들며 그녀를 반겼다. 그러고는 여자가 곁에 앉자 캔커피를 건네주었다.

"어? 오늘은 두 개네?"

"응, 원 플러스 원 행사를 하더라고."

여자는 캔커피를 오픈해 한 모금 들이켜자마자 바로 엊그제 자신이 JU전자의 공채 채용에서 보기 좋게 미역국 마셨던 일을 남자에게 하소연했다. 여자는 부정 청탁 음모론까지 들먹이며 자신의 불합격을 인정하려 하지 않았다. 위로를 받고자 했지만 위로를 해야 하는 처지로 뒤바뀐 남자는 그래도 싫은 내색 하나 없이 여자의 말에 맞장구쳤다. 여자의 뾰로통한 표정도 남자에겐 사랑스러웠으며 충분한 위로가 되었다.

둘은 손을 맞잡고 다정하게 길을 걷다 쓰레기통 곁을 지나쳤다. 그러자 여자는 마치 농구 골대를 만난 것처럼 슛 자세를 취했다. 그리고 쓰레기통을 조준해 빈 캔을 던졌다. 그것은 깔끔하게 쓰레기통 안으로 빨려 들어갔다.

"야, 너도 해봐."

여자의 권유에 남자도 자세를 잡고는 캔을 날렸다. 그렇지만 남자가 던진 캔은 비정상적인 포물선 궤도를 그리고는 쓰레기통 끝을 맞고 튕겨져 나갔다. 머쓱해진 남자가 머리를 긁적거렸다. 여자는 조막만 한 손으로 그의 어깨를 토닥거렸다.

다음 해 연말도 남자는 추운 연말을 맞이했다. 작년과 달리 올해는 기상청이 이상 고온을 염려할 정도로 따뜻한 겨울이었다. 하지만 남자가 공무원 시험에 똑 떨어진 건 작년과 마찬가지였다.

작년과 달라진 건 또 하나 있었다. 바로 여자가 취업에 성공한 것이었다. 부정 청탁 음모론을 들먹였던 바로 JU전자였다. 이젠 늦은 시각에 그녀를 불러내 따뜻한 캔커피를 나눠 마시는 게 어렵게 되었다.

그래도 여자가 보고 싶었던 남자는 그녀의 회사로 찾아갔다. 가는 도중에 편의점에 들러 캔커피를 사는 걸 잊지 않았다. 올해도 운 좋게 남자가 평소에 즐겨 마시던 브랜드 캔커피의 원 플러스 원 행사가 진행되고 있었다. 남자는 역시나 호기롭게 온장고에서 캔커피 두 개를 꺼냈다.

퇴근 시간에 맞춘다고 오긴 했으나 이르게 도착한 터라 아직 회사 로비는 한산했다. 언제나 일찍 나타나는 쪽은 남자였다. 그는 고객용 의자에 앉아 공무원 수험서를 들여다보며 여자를 기다렸다. 캔커피가 식을까 걱정된 남자는 점퍼 주머니에서 캔커피를 꺼내 볼에 갖다 댔다.

실내가 따스해서 그런지 캔커피에는 아직 따스한 온기가 남아 있었다. 이를 확인한 남자는 왠지 기분이 좋아져 미소를 지었다.

얼마간의 시간이 흐르고 로비가 사람들로 북적거렸다. 직원들의 퇴근이 시작된 모양이었다. 여자도 인파 속에서 모습을 드러냈다. 은근히 짙은 화장에 검은색 슬림핏 린넨 재킷으로 몸매를 한껏 과시했으며 지금의 자신감 넘치는 표정을 그대로 담아낸 증명사진이 박힌 ID 카드를 목에 건 여자는 단연코 주위를 압도했다.

그녀를 발견한 남자가 반갑게 캔커피를 든 손을 흔들었다. 그러나 이내 얼굴이 굳어지며 황급히 고개를 돌렸다. 동년배로 보이는 동료 남자 직원이 여자의 뒤에서 반갑게 달려와 그녀에게 고급 테이크아웃 커피를 건넸다. 미처 남자를 보지 못한 여자는 이를 반갑게 받고는 동료 직원과 정답게 얘기를 나누며 회전문 밖으로 사라졌다. 남자는 그렇게 멀어지는 그녀의 뒷모습을 그저 씁쓸히 바라만 보았다.

남자는 홀짝홀짝 캔커피를 들이켜며 홀로 밤길을 걸었다. 그러다 우연히 도로 한편에 덩그러니 놓인 쓰레기통을 발견했다. 남자는 농구 골대를 만난 것처럼 슛 자세를 취하고는 쓰레기통을 조준해 빈 캔을 던졌다. 하지만 그가 던진 캔은 비정상적인 포물선 궤도를 그리고는 쓰레기통 끝을 맞고 튕겨져 나갔다. 예전에도 그랬던 것처럼. 다만 남자는 더는 머쓱해하지 않았다. 대신 알 수 없는 감정과 더불어 왠지 모를 눈물이 한 줄기 흘러내렸다. 골인시키지 못했다고 어깨를 토닥거려 주었던 그녀가 옆에 없었기 때문이었는지……

그날 밤, JU전자의 경비원은 평소처럼 여유롭게 로비를 순찰하다 고객용 의자에 외롭게 놓인 캔커피를 발견했다. 다 식어 빠지기는 했지만 마침 목이 컬컬했던 그는 잠시 주위를 살피다가 이내 쭉 커피를 들이켰다.

기회비용

    자원의 희소성으로 인해 우리는 늘 선택의 문제에 직면한다. 무엇인가를 얻기 위해서는 다른 어떤 것을 포기해야만 한다. 우리가 무엇인가를 선택함으로써 포기한 것의 가치를 '기회비용(Opportunity Cost, 機會費用)'이라고 한다.

    C대학 아마추어 록 밴드 '블루오션'이 전국 대학생 가요제 본선에 오르는 쾌거를 이뤘다. 밴드 멤버들은 각자 맡은 파트에서 몇 날 며칠을 연습에만 매진하며 본선에서 수상의 영광을 누리는 행복한 상상을 펼쳤다.
    하지만 밴드에 가입하자마자 줄곧 베이스 기타를 만졌던 남자는 예외였다. 하필 공교롭게도 가요제를 치르는 날이 JU전자의 면접일과 겹쳤다. 워낙 높은 경쟁률을 자랑했기에 밑져야 본전이라는 심정으로 지원했던 회사였다. 그런데 뜻밖의 서류 전형 통과와 면접 일정을 통보받자 남자는 기쁘기는커녕 머릿속이 복잡해져 잠을 이룰 수 없었다.

둘 중 무엇 하나라도 다시금 찾아올 수 있는 기회였다면 남자는 미련 없이 그걸 포기했을 터였다. 그러나 전국 대학생 가요제 본선도, JU전자의 면접도 남자에게는 다시 없을 기회였다.

며칠 밤을 고민한 끝에 남자가 내린 결론은 가요제를 포기하고 면접을 치른다는 것이었다. 여기서 그는 전공 시간에 수없이 들었던 기회비용이란 걸 따졌다. 자신이 가요제에 참가해 운 좋게라도 수상을 한다면 약간의 상금과 트로피, 그리고 밴드의 이름을 빛냈다는 명예가 주어질 터였다. 그러나 누구나 부러워 마지않는 JU전자 직원이라는 타이틀과 높은 연봉에 비하면 무척 초라해 보였다. 인간은 자신에게 유리한 걸 선택하는 경제적인 동물이라고 학창 시절에 배웠다. 그러므로 자신의 선택은 이기적인 것이 아니라 인간이라면 누구나 갖는 본능이라고 애써 당위성을 부여했다.

남자는 멤버들에게 자신은 가요제 본선에 참가하지 않을 것을 밝혔다. 이들은 남자의 사정을 머리로는 이해했으나 가슴으로는 그러지 못하고 속상함을 드러냈다. 예견했던 일이었지만 막상 이들의 냉랭한 태도에 남자의 마음은 편치 못했다. 그래서 뻔질나게 드나들었던 연습실로도 발길을 끊었다.

마침내 전국 대학생 가요제 본선일이면서 동시에 JU전자 공채 신입 사원 면접일이 찾아왔다. 오랜만에 정장을 꺼내 입은 남자는 다른 응시자들과 함께 12층에 마련된 면접 대기실에서 초조히 자신의 차례를 기다렸다. 그의 왼쪽 가슴에는 수험표가 떨어질 듯 위태롭게 매달려 있었다. 수험표 속 증명사진의 남자는 어색하지만 환하게 미소를 짓고 있었다.

면접장의 정적을 깨트리며 남자의 양복 안주머니에서 핸드폰이 울렸다. 워낙 고요했던 실내였던지라 벨 소리는 평소보다 크고 웅장했다. 그는 다급히 대기실을 빠져나가서는 복도 끝에 이르러서야 몸을 움츠리고 전화를 받았다. 발신자는 블루오션의 멤버이자 밴드의 리더를 맡고 있던 동기였다.

"나다, 친구야. 공연 20분 전인데 무지 떨린다. 사람들이 많이 와서 그런가? 너도 떨리겠다. 너랑 함께 무대 설 땐 무서운 거 하나도 없었는데, 이리 떨어지니까 많이 후달린다. 그래도 떨지 말고 면접 잘 봐서 꼭 합격해라. 나중에 돈 많이 벌면 밥이나 많이 사줘. 너 없어도 떨지 않고 열심히 공연할게. 파이팅!"

뜻밖에 동기의 격려를 받은 남자는 그만 눈시울이 뜨거워졌다. 다시 대기실에 돌아와 앉았어도 그의 마음은 좀처럼 진정되지 못했다. 남자는 지난날 동기를 비롯한 밴드 멤버들과 함께했던 순간들이 주마등처럼 스쳐 지나갔다. 학교 축제에서 멋진 공연을 선보이고자 허름한 동아리방에서 밤새도록 연주 연습에 몰두했던 일, 그 바람에 강의 시간 내내 맨 뒷자리에서 혼자 쿨쿨 잠을 잤던 일, 그러한 결과, 축제에서 관중들의 열화와 같은 환호성을 받았던 일, 그렇지만 예산 부족으로 축제 날에도 라면과 새우깡으로 뒤풀이를 해야 했던 일들……

"우리 반드시 저 비어 있는 진열장에 트로피를 갖다 놓자."

남자는 동기와 함께 밴드에 가입 신청서를 냈을 때

했던 다짐을 떠올렸다. 그 순간, 기회비용의 부등호가 방향을 바꿨다. 대기업 직원이라는 타이틀과 높은 연봉은 이것에 비하면 무척 초라해 보였다.

면접 전형 진행을 담당한 여직원이 대기실로 들어와 소리쳤다. 그녀도 작년엔 이들과 똑같은 취준생들 중의 하나였다. 합격자 명단에 자신의 이름이 없자 부정 청탁 음모론까지 들먹였는데 지금은 이렇게 정직원이 되어 면접 진행을 돕고 있었다.

"63번부터 66번까지 들어오세요."

여직원의 안내에 따라 남자와 나란히 앉았던 응시자들이 일제히 일어나 대기실을 나섰다. 그러나 남자는 그러지 않았다. 대기실이 아니라 아예 회사를 나섰다. 가요제 본선 장소는 JU전자 본사에서 지하철로 네 정거장쯤 떨어진 모 방송국의 공개홀이었다. 그곳까지 남자는 인파와 차들로 붐비는 거리를 정신없이 질주했다. 숨이 목까지 차올랐고 수많은 사람들과 어깨를 부딪쳤으며 신호를 수십 개나 무시하며 횡단보도를 가로질렀지만 그는 결코 멈추지 않고 멤버들이 기다리는 무대로 향했다.

자신들의 공연 순서가 되자 블루오션 멤버들은 악기

를 들고 자리에서 일어났다. 이들이 막 대기실을 나가려던 찰나 요란한 소리와 함께 땀범벅이 된 남자가 들어왔다. 그는 잠시 숨을 고른 다음 멤버들을 향해 씩 하고 웃었다. 멤버들도 그를 보며 똑같은 웃음을 지었다. 동기가 남자에게 베이스 기타를 던졌다. 그는 익숙한 동작으로 이를 받아서는 어깨에 걸쳤다. 그리고 사회자의 소개에 맞추어 힘차게 무대에 올랐다.

이들의 연주는 관중들의 환호성을 이끌어 내기에 충분했다. 가요제라고 해서, 모 방송국 공개홀이라고 해서 예외는 아니었다. 이들은 연주가 끝나자 감격에 찬 표정으로 객석을 바라보았다.

특히 조명을 받아 하얗게 빛나는, 남자의 왼쪽 가슴에 달린 수험표가 눈부셨다. 거기에 붙은 증명사진 속의 남자는 환하게 미소 짓고 있었다. 반면에 무대 위의 남자는 우는 건지 아니면 웃는 건지 도통 알 수 없는 표정으로 눈이 붉게 충혈되어 있었다.

연장 근무

"수고해."

남자는 여자에게 작별 인사를 건네고 편의점을 나섰다. 해가 많이 짧아져 밖은 벌써 옅은 어둠이 내려앉았다. 사람들은 저마다 총총걸음으로 편의점 앞을 빠르게 스쳐 지나갔다. 남자는 이를 물끄러미 바라보다가 테이블 주위로 옹기종기 모인 파란색 플라스틱 의자 하나에 털썩 주저앉았다. 그러고는 스마트폰을 들여다보며 시간을 죽였다.

그렇게 한 삼사십여 분이 흘렀을까? 여자가 빗자루와 쓰레받기를 들고나와서는 크게 기지개를 켰다. 그녀가 정해 놓은 편의점 앞 청소 시간이었다.

"에휴, 오늘도 이 긴긴밤을 어찌 보내나."

이것도 그때쯤 여자가 늘어놓는 푸념이었다. 그녀는

한참 빗질을 하다가 남자를 발견하고는 깜짝 놀랐다.

"어, 안 가셨어요?"

남자가 머쓱한 표정을 지으며 말했다.

"그렇게 됐어."

"시험이 내일모레라면서요. 얼른 들어가 책 한 번이라도 더 들여다봐야죠."

"그게… 지금 집에 들어가기가 곤란해."

"뭔 일 있어요?"

남자가 여태 귀가하지 않고 편의점에 있는 연유가 궁금해진 여자는 청소도 잊고 그의 옆자리에 앉아 본격적으로 그의 말을 경청하기 시작했다.

"동생이 결혼할 사람 데리고 온대."

"우와, 그럼 얼른 들어가서 제수씨 될 사람 구경해야죠. 예쁘려나?"

"창피해서……."

여자는 남자의 말을 선뜻 이해할 수 없었다.

"창피요?"

"요 모양 요 꼴이라……."

여자는 잠시 남자의 옷차림을 훑어보았다.

"제수씨 오기 전에 좀 씻고 옷 갈아입으면 될 것 같은데. 아, 얼굴에 화장품도 좀 발라야겠어요. 왼쪽 볼에 여드름 너~무 흉해."

"아… 아니, 그게 아니고… 백수잖아."

여자는 그제야 남자가 궁상을 떨고 있는 이유를 깨달았다. 그러자 자기도 모르게 안타까운 탄식이 새어 나왔다.

"아아… 그래도 백수는 아닌데. 일주일에 3일은 여기로 출근하잖아요."

"직장은 아니지."

"직장이죠. 월급이 좀 적고 4대 보험이 없다는 거 빼면……."

"그렇다고 제수씨한테 저 세븐일레븐에서 퇴근하고 오는 길입니다, 이럴 순 없잖아."

둘 사이에 어색한 침묵이 흘렀다. 자신이 이런 분위기를 만든 것 같은 죄책감에 여자가 애써 먼저 이를 깨트렸다.

"그래도 얼굴은 비치셔야죠. 평생 안 볼 사람도 아니고."

"그래서… 들어갈까 말까 고민했는데… 방금 전에 연락 왔네. 저녁 늦게까지 들어오지 말라고."

"누가요?"

"동생이랑 아버지가……. 엄마도 그러는 게 낫다고 하고……."

"그럼 해도 떨어지는데 어디 가서 뭐 하실 거예요?"

"그러게. 간만에 친구들이나 불러내서 술이나 한잔할까?"

"불러낼 친구들은 있어요?"

"글쎄……."

남자는 스마트폰을 만지작거렸다.

"얘는 회사가 부산이라 안 되고… 얘는 지금 한창 장사하고 있을 테고… 얘는 지금 애 보고 있으려나? 얘는… 그래, 얘는 지금 퇴근했겠다."

연락할 이를 발견한 남자는 신나는 표정으로 서둘러 통화 버튼을 눌렀다. 투박한 신호음이 몇 차례 오간 다음 상대방이 전화를 받았다.

"창수냐? 나야. 오랜만이다. 나? 나야 뭐 계속 공무원 시험 준비 중이지. …어, 맞아. 이번에도 경쟁률 장난 아니야. 뭐, 어쩌겠어. 이 나이에 어디 신입으로 받아 주는 회사도 없고… 이걸로 끝장 봐야지. 웬일로 전화했냐고? 아니, 간만에 네 생각나서 퇴근 중이면 술이나 한잔할까 하고. 어? 오늘 너희 부서 회식이라고? 그럼 안 되겠네. 아냐, 아냐. 불쑥 전화한 내가 잘못이지. 그래, 그럼 다음에 또 전화할게. 그래, 들어가."

통화를 한 목적에 실패한 남자는 금세 실망한 표정으로 바뀌었다.

"아무도 없네. 나랑 같이 술 마셔 줄 사람이."

여자가 안쓰러움과 답답함이 미묘하게 섞인 감정으로 남자를 다그쳤다.

"그 수많은 연락처 중에 하나도 없어요?"

남자는 말없이 고개만 끄덕거렸다. 다시금 둘 사이에 어색한 침묵이 자리했다. 이를 먼저 깨트린 건 역시 여자였다.

"어, 그럼 요 앞에 새로 생긴 공원에 가보실래요? 거기 분수가 장관이라던데, 밤에 조명도 막 쏴주고. 아니면 사거리 백화점의 극장도 시간 때우기엔 괜찮아요. 저녁 늦게 가면 할인도 해줘요."

"그럴까?"

갈 곳이 딱히 없는 남자는 진지하게 여자의 제안을 고민해 보았다.

어디선가 핸드폰 벨 소리가 요란하게 울렸다. 요새 가요 프로그램에서 6주 연속 1위를 차지하는 7인조 남성 그룹의 타이틀 곡이었다. 여자가 재빨리 유니폼 주머니에서 핸드폰을 꺼내 받았다.

"여보세요? 응, 철민아. 나? 뭐 하긴 지금 알바 중이지. 뭐라고?"

갑자기 여자가 자리에서 벌떡 일어나며 크게 놀라는 표정을 지었다.

"아, 맞다. 오늘 너랑 거기 가기로 했었지. 아, 나 깜빡했어. 어쩌지?"

바로 그때, 여자와 남자의 시선이 묘하게 마주쳤다. 불현듯 좋은 생각이 떠오른 여자는 최대한 미안하고 불쌍한 표정을 남자에게 지었다.

"저기… 저……."

남자는 여자의 제스처에 담긴 의미를 바로 알아차렸다.

"땜빵해 줄까?"

"그래 줄래요? 죄송해요. 제가 그만 데이트 약속을 깜빡하고……."

"괜찮아. 어차피 갈 데도 없었는데, 뭘."

"고마워요."

어느새 얼굴이 환하게 밝아진 여자는 잽싸게 유니폼을 벗어 남자에게 건네준 다음 편의점 오른쪽으로 난 큰길로 황급히 사라졌다. 여자가 완전히 보이지 않을 때까지 씁쓸한 웃음과 함께 이를 말없이 바라본 남자는 핸드폰을 꺼내 전화를 걸었다.

"어, 엄마! 제수씨 왔어? 나 오늘 연장 근무야. 잘됐지, 뭐. 내일 새벽에나 들어갈 거야. 그러니까 제수씨한테는 야근한다고 그러고."

통화를 마친 남자는 여자가 내팽개친 빗자루와 쓰레받기를 집어 들어서는 그녀가 못다 한 청소를 계속했다. 어느 정도 깔끔해졌다고 여긴 남자는 크게 기지개를 켰다. 그리고 나지막하게 중얼거렸다.

"이 긴긴밤을 어찌 보내나."

경력 증명서

    여자는 접수 마감 하루 전에야 B물산의 경력 사원 채용 공고를 확인했다. 지방에 위치한다는 게 흠이었지만 이를 상쇄할 만한 높은 연봉을 제시했고 인근에 KTX 역사가 자리해 별문제가 되지 않아 보였다. 게다가 회식을 강요하지 않고 칼퇴근을 보장한다는 점이 여자에게 아주 매력적으로 다가왔다.

    제출 서류도 간단했다. 회사에서 제공한 이력서와 자기 소개서, 최종 학력 증명서, 그리고 그동안 재직했던 회사들의 경력 증명서만을 요구했다. 따라서 여자는 시간이 촉박했어도 반나절 만에 B물산이 요구하는 서류들을 갖출 수 있었다. 문제는 JU전자의 경력 증명서였다.

    JU전자는 그동안 여자가 재직했던 회사들 중에서 가장 인지도가 높은 곳이었다. 그랬기에 재직 기간은 비록 제일 짧았어도 B물산에 경력을 어필하려면 반드시 그곳의 경력 증명서가 필요했다.

"담당자께서 휴가라 자리를 비우셨는데요. 모레 출근하니 그때 발급받으시는 게 어떨는지요?"

경력 증명서를 요청하려고 JU전자 인사부에 전화를 걸었더니, 돌아온 건 무심한 답변뿐이었다.

"제가 급해서 그러는데요. 바로 받을 수 있는 방법이 없을까요?"

"그럼 예전에 근무하셨던 부서의 책임자를 찾아가 직접 발급받는 방법이 있는데요."

여자는 또 한 번 크게 낙심한 표정을 지었다. JU전자를 방문해야 하는 번거로움 때문만은 아니었다. 목마른 자가 우물을 판다고, 급하면 그렇게라도 해야지 별수 있겠는가? 문제는 책임자를 만나야 한다는 점이었다. 총무과 김 부장은 여자가 다시는 마주하고 싶지 않은 얼굴이었다.

재작년에 JU전자로 정부의 공적 자금이 투여되는 등 한참 어려웠던 시기에 회사는 전 직원들을 대상으로 명예퇴직을 접수받았다. 자발적인 신청을 받는 모양새였지만 실은 회사에서 따로 준비한 블랙리스트가 존재했다. 일단 거기에 올라가면 원하지 않아도 신청서를 쓸 수밖에 없었다. 리스트에 여자의 이름은 없었다. 그런 까닭에 버텼으면 현재까지도 JU전자의 직원으로 살아남을 수 있었지만 여자는 미련 없이 신청서를 작성했다. 이게 모두 부장 때문이었다.

부장은 회식을 참으로 좋아했다. 부서의 단합과 근무의 연장이라는 이유로 툭하면 회식을 제안해 부하 직원들을 억지로 동참하게 만들었다. 강압과 다름없는 상사의 제안을 섣불리 거역할 용기 있는 직원들은 없었다. 딱하나 있었는데 그 여직원은 항상 가사와 육아를 들먹였다. 그녀는 만약 결혼만 하지 않았더라면 사내 남성들로부터 꽤나 추파를 받았을 외모와 몸매를 소유했다.

"이러니 기혼녀들이 문제란 말이야. 누구는 집에 처자식이 없나? 맨날 이런저런 핑계로 빠져서 위화감을 조성하고 말이야. 그래서 여자들은 결혼하면 관둬야 해."

부장은 블랙리스트에 올리는 것으로 무단으로 회식에 빠지는 그녀에게 복수했다. 그녀는 여자와 함께 신청서를 제출하고는 회사를 떠났다.

JU전자에 갓 입사했을 때만 해도 어떻게든 회사에 오래 붙어 있고 싶었던 여자는 부장의 말에 복종했다. 학창 시절에도 곧잘 선후배들과 음주가무를 즐겼던 터라 술자리가 그리 낯설지도 않았다. 회식 자리에서 여자는 부장을 비롯해 상사가 주는 술을 사양하지 않고 모두 들이켰다. 노래와 춤을 시키면 빼는 법이 없었고 막차까지 항상 자리를 지켰다.

그렇게 여자는 총무부 회식 자리의 꽃이 되었다. 풍류를 좋아하는 부서 직원들과 잘 어울려서만은 아니었다. 만약 그랬다면 여자와 함께 끝까지 자리를 지켰던 여과장이 진작 꽃으로 등극했어야 옳았다. 여자는 과장이 갖지 못한 젊음과 미모를 지녔다. 알코올과 니코틴을 들이마시면 엉큼해지는 총무과 남직원들은 늘 여자의 옆에서 부대끼고 싶어 했다.

그중 제일 심했던 이가 바로 부장이었다. 그는 항상 여자의 곁에 앉으며 술을 권했고 그녀가 얼큰히 술이 오른 것처럼 보이면 본능적으로 그녀의 등과 허벅지, 어깨 등을 쓰다듬었다. 가끔 여자가 정신을 차리고 싫어하는 내색을 보이거나 정색하면 곧장 술에 취해 실수한 연기에 돌입했다.

"어이쿠, 미안해. 내가 술을 줄이든가 해야지, 원."

하지만 부장의 표정에서는 말과 다르게 미안함이 전혀 담겨 있지 않았다. 회식에 참석할 때마다 부장의 엉큼하고 치근덕거리는 짓이 계속되자 여자도 슬슬 핑계를 대며 빠질 궁리를 모색했다. 이럴 때마다 과장은 번번이 그녀의 발목을 붙잡으며 악역 노릇을 톡톡히 수행했다.

"자기나 나나 집에 들어가 봤자 드라마 보거나 혼술 들이켜며 청승 떨 텐데 왜 그래? 그러지 말고 부장님께서 직원들의 단합을 위해 거하게 법카 쏘신다는데 참석해서 자리 빛내."

자신이 참석하는 게 왜 회식 자리를 빛내는 것이며, 그게 왜 꼭 자신이어야 하는지 과장에게 반문하고 싶었건만 여자는 들어온 지 이제 겨우 두 달 남짓된 막내이자 서열의 최하층이었다. 하는 수 없이 받아들이거나 그게 싫으면 떠나는 것밖에는 다른 선택이 없는 그런 처지였다. 이후에도 여자의 손등과 어깨, 등과 허벅지에는 부장의 손길이 스쳐 지나갔다. 그의 게슴츠레한 눈빛이 그녀의 입술과 가슴골에 머문 적도 셀 수 없이 많았다.

명예퇴직 신청 공고가 게시되던 날에도 회식 자리에서 부장의 이런 짓거리는 계속되었다. 공고문을 보면서 큰 결심을 한 여자는 야릇한 시선으로 자신을 쳐다보는 부장의 얼굴에 정통으로 주먹을 날렸다. 맞고 나가떨어질 정도로 위력적이지는 않았지만 새파랗게 어린 부하 직원에게 얻어맞았다는 수치심을 느끼기에는 충분했다.

"미쳤어? 부장님께 무슨 행패야?"

여자는 대성일갈을 날리는 과장을 뒤로하고 회식 자리를, 그리고 JU전자를 미련 없이 떠났다.

슬프게도 JU전자 총무부는 이 년이라는 세월이 흘렀음에도 불구하고 달라진 게 하나도 없었다. 여자의 자리를 다른 젊은 여직원이 대신하고 있다는 걸 제외하면 과장도, 부장도 모두 그대로였다.

"그 난리를 피우고 사라졌으면서 뻔뻔스럽게 여긴 왜 나타난 거야?"

여자의 등장에 과장은 떨떠름한 표정을 지었다. 반면 곤욕을 당한 당사자인 부장은 그새 그 일을 잊어 버렸는지, 아니면 그딴 것에 연연하지 않는 쿨한 남자인지 몰라도 반갑게 웃으며 여자를 맞이했다.

"잘 왔어. 안 그래도 작별 인사도 못 하고 헤어져 얼마나 섭섭했는데. 아, 그러지 말고 못한 송별회 오늘 할까?"

여자는 이번에도 싫다는 의사를 표할 수 없었다. 자신에게 끔찍했던 이곳을 다시 찾게 만든 경력 증명서를 아직 건네받지 못했던 까닭이었다. 그녀는 울면서 뛰쳐나가고 싶은 심정을 간신히 참고 종이 쪼가리 하나 받아내고자 오랜만에 다시금 부장의 추한 행태들이 춤을 추는 회식 자리에 참석했다. 다행히 여자는 이 년 전의 수모를 겪지 않아도 되었다. 부장이 달라졌던 건 아니었고, 희생자가 여자에서 다른 이로 바뀌었을 뿐이었다.

이 년 전 그녀가 앉던 자리를 대신한 젊은 여직원의 허벅지 위로 부장의 시커먼 손이 올라갔다. 등과 허리도 예외는 아니었다. 여자는 이를 외면했다. 그녀는 아직 부장에게서 경력 증명서를 받아 내지 못했다.

보살

　남자가 원장을 들이받았다는 소문은 금세 학원의 모든 선생들 사이로 퍼졌다. 선생이 원장을 들이받는 일이야 ○○학원에서는 그리 특별할 게 못 되었다. 성격이 괴팍하고 괄괄했던 원장은 툭하면 실적이나 강의 태도를 가지고 선생들을 지적하며 잔소리를 퍼부었다. 그걸 고상하고 우아하게 했더라면 결코 대치동 학원가에서 그녀의 악명이 퍼지지는 않았으리라. 그녀는 항상 상대의 억장을 무너뜨릴 만한 독설을 퍼부어 댔고 그걸 견디지 못한 선생들은 때려치울 각오를 하며 그녀에게 대들었다. 그게 한 달이 멀다고 일어나는 ○○학원의 월례 행사였다.

　하지만 남자가 원장에게 대든 건 조금 다른 경우였다.

"최 선생이 어쩌다 그랬대? 보살 소리를 듣던 사람이."

학원 선생들은 모이기만 하면 이렇게 수군거리며 남자가 원장에게 대들 수밖에 없던 이유를 추론했다.

"원장이 최 선생님한테 도저히 참을 수 없는 심한 모욕을 한 게 아닐까?"

"그럴 것 같긴 한데. 아니, 대체 얼마나 심했기에……."

"최 선생도 사람인데… 그래도 사 년을 버텼으면 대단한 거 아닌가?"

"그래, 맞아. 우리였으면 진작……."

남자는 ○○학원 선생들 사이에서 일명 '보살'로 불렸다. 남자도 초기에는 그다지 임팩트 없는 강의로 저조한 학생 유치 실적을 거둬 툭하면 원장 앞으로 불려가 그녀에게 심한 소리를 듣곤 했다. 그런데 남자는 자신의 인격을 매번 무너뜨리는 말을 서슴지 않고 내뱉는 그녀에게 단 한 번도 인상을 찌푸리거나 화를 낸 적이 없었다.

"원장님, 다음엔 잘하겠습니다. 기회를 주십시오."

그는 언제나 생글생글 웃으며 죄송하다는 말을 건넸
다.

"난 열 받아 죽겠는데 최 선생은 지금 실실 쪼개고 있
는 거야?"

원장은 다른 이들과 다르게 멋쩍은 웃음과 굽실대는
사과로 맞대응하는 남자에게 반성의 기미가 없다며 더
욱더 뭐라 야단쳤다. 그래도 남자는 일 년이 흐르고 이
년을 거쳐 삼 년을 지나 사 년째에 이르기까지 이와 같
은 방법을 고수하며 원장을 상대했다.

"최 선생, 원장한테 그 소리 듣고 괜찮아? 난 아까 사
직서 내던지고 한바탕 붙으려고 그랬는데. 최 선생이 잠
자코 있으니까 나도 가만있었어."

"잘하셨어요. 아까 목소리 톤 하고 얼굴색 보니까 그
다지 화나신 것도 아니던데요, 뭘. 이따 저녁만 되어도
겸연쩍어 하면서 분위기 풀려고 회식하자 할 걸요."

"하긴 최 선생이 원장에 대해서 하는 말에 틀린 게
있었나. 저런 지랄 맞은 원장 밑에서 사 년이나 있었으
니……."

툭하면 원장한테 들이받고 퇴사하는 선생들이 즐비

한 ○○학원에서 가장 오래 버틴 선생으로 기록된 남자는 다른 선생들로부터 존경의 대상이었다. 이제 원장도 그를 함부로 대할 수 없었다. 여전히 욱하며 성질머리를 부리는 건 여전했으나 본인도 잘 아는 자신의 개 같은 성격을 잘 받아 주는 그를 위해 연봉도 두둑이 챙겨 주었고 각종 경조사도 알뜰히 신경 써주었다.

'강한 놈이 오래 버티는 것이 아니라 오래 버티는 놈이 강한 것이다.'

이는 그야말로 남자에게 가장 잘 어울리는 말이었다.

번번이 임용 고시에 떨어지고 더는 백수로 지낼 수 없어 ○○학원에 발을 들여놓은 여자는 남자를 롤 모델로 삼겠다고 결심했다. 그녀는 외로이 저녁을 들거나 커피를 마시는 남자에게 다가가 말 상대가 되어 주며 그의 노하우를 전수받고자 했다. 남자는 머리를 긁적거리며 상대를 잘못 골랐음을 여자에게 알려 주었다.

"차라리 김 선생님이나 하 선생님한테 여쭤보지 그러세요? 그분들이 학부모님들한테 인지도도 높고 연봉도 많아 배울 게 많으실 텐데."

"아뇨, 전 최 선생님의 보살 같은 성격을 배우고 싶어요."

"왜요?"

"전 여기서 되도록 오래 있고 싶거든요. 그래야 경력을 인정받아 더 좋은 곳으로 이직할 수 있고… 무엇보다 어딜 가든 원장 같은 상사는 있기 마련일 거잖아요. 그런 사람 밑에서 버티는 법을 알아두면 험난한 인생을 살아가는데 여러모로 요긴할 것 같아서……."

"밥이랑 커피 얻어먹은 게 있어 뭘 알려주고 싶긴 한데… 정말로 저한테 그런 건 없거든요."

"정말요? 아니, 무슨 특별한 감정 조절이나 화풀이 비법 같은 게 있으신 건 아니고요?"

"네? 죄송해요."

하지만 여자는 남자가 원장에게 들이받던 문제의 그날, 마침내 그의 노하우가 무엇이었는지를 어렴풋이 알게 되었다. 저녁 강의를 마치고 커피 한 잔 마시며 쉬고자 들른 휴게실에서 여자는 우연히 남자가 무언가를 거칠게 찢는 광경을 목격했다. 그렇지만 화가 났다기보다는 오히려 희열을 느끼는 듯 환한 표정이었다. 여자와 눈이 마주친 남자는 서둘러 찢은 것들을 휴지통에 집어넣고는 민망한 얼굴로 휴게실을 나갔다. 잠시, 아무도 없는 그곳에서 커피를 들던 여자는 갑자기 방금 전 남자의 행동에 대해서 궁금해졌다.

여자는 잠시 주위를 기웃거리다가 휴지통에서 남자가 잘게 찢어 놓은 것들을 꺼내서는 하나하나 조각을 맞춰 보기 시작했다. 그리 오래 걸리지 않아 조각들은 편지지보다 살짝 큰 문서로 합체되었다. 요새 TV 광고로도 많이 나와 유명한 모 제2금융권 은행에서 보낸 통지서였다.

이번 달을 마지막으로 귀하께서 2014년도에 대출하신 원금과 이자가 모두 상환되었음을 알려드립니다. 그동안 저희 □□저축은행의 대출 서비스를 이용해 주셔서 대단히 감사합니다. 귀하께서는 우수 고객으로 선정되어 다음 대출 시에는 별다른 상담 없이 현재보다 낮은 금리로 높은 금액을 대출받으실 수 있습니다.

현질

남자는 최근 회원 수와 동시 접속자 수에서 두각을 나타내는 중인 MMORPG 게임 'Knight & Magician'의 만렙 유저이다. 유저가 기사나 마법사 중에 하나를 택한 다음, 게임 내의 광활한 대륙을 돌아다니며 출몰하는 몬스터를 없애는 방식으로 진행되는 게임이었다. 이 게임은 유화풍의 그래픽 디자인을 채용해 다른 게임과 차별을 두었지만 이를 제외하면 대다수의 MMORPG 게임과 대동소이했다.

지금은 이런 평가를 함부로 떠들었다가는 이용자들로부터 반박이나 무시를 받겠지만 작년 말까진 이런 소리를 들어도 할 말이 없을 정도로 게임의 인지도가 낮았다. 당연히 이용자 수 또한 별 볼 일 없었다. 하지만 최근 가장 핫한 걸 그룹의 멤버가 게임을 플레이하는 모습이

우연찮게 방송을 타면서 그녀의 팬들을 중심으로 이용
자 수가 급격히 증가했다. 현재는 명실공히 모바일 스토
어 다운로드 1위를 자랑하는 국민 게임으로 자리매김했
다.

남자는 베타 테스트 때부터 이 게임을 즐겨한 성골
유저였다. 그랬기에 현재 모든 유저들이 우러러보는 만
렙을 찍은 건 아니었다. 시간과 노력에 비례해 레벨이 오
르진 않았다. 현질을 해서 좋은 아이템을 구입하면 단기
간 내에 상위 레벨 유저로 변모할 수 있었다. 다만 그럴
수록 아이템의 가격이 비쌌다. 게임 내에서 가장 고가를
자랑하는 '아모리아의 검' 같은 경우는 아이템 거래소에
서 무려 몇천만 원에 거래되었다. 돈에 비례해서 레벨이
오른다는 것이 'Knight & Magician' 세계관에서 통용되
는 진리였다.

아모리아의 검은 현재 세 명의 유저만이 보유 중이었
다. 그중 하나가 바로 남자였다. 그 검은 유저의 레벨에
따라서 더욱 강화되는 특성을 가졌다. 따라서 만렙을 찍
은 유저의 게임 캐릭터가 지닌 검이 게임 세계에서는 가
장 강력한 무기였으며 또한 가장 고가였다.

남자가 조작하는 캐릭터가 필드에 나타나면 순식간에 그 주위로 수많은 다른 유저의 캐릭터들이 몰려들었다. 절대검을 갖고 있는 남자의 캐릭터를 따라다니면 쉽게 몬스터 사냥에 성공해 레벨을 올릴 수 있었기 때문이었다. 더구나 남자는 PK(Player Killing: 다른 유저들의 캐릭터를 죽이는 행동)를 저지르는 만행을 부리지 않았기에 사람들은 그의 주변으로 더욱 몰려들었다.

유저들은 남자를 게임에 미친 금수저나 자산가로 여겼다. 그게 아니라면 몇천만 원에 달하는 아모리아의 검을 현질할 수 없으리라는 판단에서였다. 하지만 남자가 게임에 미친 건 맞았으나 부자는 아니었다. 아마 그날의 일이 아니었다면 남자의 캐릭터는 부지런히 게임 세계를 돌아다니며 사냥해도 하위 레벨을 벗어나지 못하는 미천한 신분이었을 게 틀림없었다.

남자는 박봉에 초과 근무를 밥 먹듯이 하는 회사에 다녔지만 오 년간 성실히 알토란 같은 돈을 모았다. 그는 그걸 오랫동안 사귄 연인과의 결혼 자금으로 쓰겠노라고 다짐했다.

"자네 고작 그 돈으로 내 딸과 결혼하려고 하나?"

"이 정도면 서울 변두리에 전셋집은 마련할 수 있습니다. 혹시 그게 불만이시면 대출금을 보태서 경기도 외곽에 자그마한 아파트를 구해 보겠습니다."

"미연이 직장이 종로인데 출퇴근으로만 하루 반나절을 소비하게 만들 셈이야? 그러지 말고 부모님한테 손을 벌리면 어떤가? 그러면 도심 내에서도 괜찮은 아파트를 구할 수 있을 것 같은데……."

남자는 장모 되실 분의 말에 입을 굳게 다물었다. 그의 부모님은 하나뿐인 자식에게 아파트를 마련해 줄 만한 돈을 모으시기는커녕 빚을 안겨 준 무능하고 무책임한 분들이셨다. 다른 집 같았으면 자신에게 해준 게 뭐냐며 부모님에게 삿대질을 부렸을 터지만 남자는 그러진 않았다. 심성이 착해서가 아니라 그래 봤자 아무런 소용이 없음을 잘 알아서였다.

"그건 결혼하면서 차차 돈을 모아 그리하도록 노력하겠습니다. 그러니 당장은 속상하시더라도……."

"됐네. 노력은 개뿔……. 어느 세월에……. 미연이와 결혼 다시 생각해 보세."

남자는 시간과 노력에 비례해 오래된 연인과 그녀의

어머니를 기쁘게 만들 돈을 마련할 자신이 있었다. 그러나 장모 되실 분은 혀를 차면서 그런 그의 의지를 단박에 꺾어 버렸다.

결국 남자는 연인과 헤어졌다. 그리고 얼마 못 가 그녀는 서울 강남에 중대형 아파트를 너끈히 사줄 수 있는 부모를 가진 어떤 남성과 결혼식을 올렸다. 수년간의 연애 끝에도 이루지 못한 결혼을 그 남성은 고작 몇 개월 간의 교제 끝에 이뤄 냈다.

남자는 연인의 결혼식 날, 하루 종일 자신의 방에서 'Knight & Magician'에 몰두했다. 그는 괴롭고 우울한 일을 겪을 때면 남들처럼 술로 아픈 마음을 달래지 않았다. 그러다 보면 취기가 올라 주정을 부리거나 실수를 하는 만행을 저지른다는 사실을 어렸을 적에 아버지를 보면서 깨달았기 때문이었다. 직장에서 잘리던 날, 친구로부터 사기를 당하던 날, 파리만 날리던 가게를 정리하던 날에 술에 잔뜩 취해서는 집에 들어와 잠자고 있던 온 식구를 깨우며 추태를 보이던 아버지의 모습을 남자는 지금도 잊을 수 없었다. 자신은 저 사람의 피를 물려받았지만 결단코 저저는 않겠노라고 다짐했었다. 그래서 그날도 술을 들이켜는 대신 게임을 하며 실연의 상처와 상념을 묻으려 했다.

하지만 그날 게임 속의 남자 캐릭터는 현실의 그처럼 비루하고 초라했다. 빠르게 레벨을 올려 보고자 무턱대고 강한 몬스터에게 도전했다가 허무한 죽음을 맞았으며 괜히 고레벨 유저 곁을 얼쩡거리다가 그들로부터 PK를 당하는 수모도 겪었다. 그러자 간신히 억누르고 있었던 남자의 감정들이 한꺼번에 폭발했다.

"삼 년 동안 하루도 빠지지 않고 게임 했잖아. 근데 왜 이거밖에 안 돼? 왜 이따위밖에 안 되냐고!"

남자는 누가 들을 사람도 없건만 텅 빈 자신의 방 안에서 크게 소리 높여 울먹였다. 술을 먹진 않았지만, 자신의 신세를 한탄하며 넋두리를 늘어놓는 모습은 과거의 아버지와 참으로 비슷했다.

울다 지쳐 잠이 든 남자는 다음 날 게임에 접속하자마자 바로 상점에 들렀다. 그리고 호기롭게 당시 이천만 원을 호가하던 아모리아의 검을 현질했다. 사랑하는 연인과의 보금자리를 마련하고자 모아 두었던 통장에서 돈이 빠져나갔다. 단숨에 레벨이 상승한 남자의 캐릭터는 이후 현재까지 게임 세계에서 무소불위의 존재가 되었다. 그건 단지 게임 안에서 뿐만이 아니라 밖에서도 마찬가지였다.

"네? 아모리아의 검을 가진 유저들을 불러 모아 이벤트를 벌일 계획이시라고요?"

"그렇습니다. 저희 회사가 다음 달에 진행될 업데이트에 추가할 신규 몬스터를 공개할 예정이거든요. 아모리아의 검을 가진 유저 분들께서 그걸 물리치는 모습을 팟캐스트와 블로그에 실시간으로 방송할 예정입니다."

"아, 그러신가요? 근데 제가 카메라 앞에 서는 건 좀 부담스러워서……."

"긍정적으로 생각해 보십시오. 유저 분께만 살짝 귀띔해 드리는데 또 다른 아모리아의 검 유저가 바로 아이니의 멤버 유하입니다. 참석하기로 했으니까 그녀와 함께 플레이하면 주변 사람들로부터 반응이 아주……."

남자는 최근 회원 수와 동시 접속자 수에서 두각을 나타내고 있는 MMORPG 게임 'Knight & Magician'의 만렙 유저이다.

방문

남자는 무작정 집을 나섰지만, 마땅히 갈 곳이 없었다. 자신의 속상함을 들어주며 함께 술을 마셔 줄 친구나 지인은 대부분 서울에 자리했다. 사실 이곳이 이제 막 KTX가 개통되어 사람들로 북적거리기 시작한 지방의 외지가 아니라 서울이었어도 그의 처지는 마찬가지였을 것이다. 매일 가정과 직장에서 전쟁과 같은 나날을 보내느라 피곤한 남자의 친구들은 친구의 전화를 무시하거나 술 한잔하자는 그의 부탁을 매정하게 거절했을 게 분명했다.

'또 거기에 가야 하나? 이번 달은 너무 자주 가서 미안한데.'

이럴 때마다 남자가 만나는 사람이 있었다. 그가 재직 중인 B물산 본사에서 그리 멀지 않은 오피스텔에 기거

하는 인사부 부장이었다. 일개 대리인 그가 까마득한 상사의 집을 들락거리는 걸 주변 사람들은 의아한 눈으로 바라보았다. 실은 남자 본인도 부장이 왜 자신과 어울리는지 알지 못했다. 그는 일전에 부장의 집에서 함께 술을 마셨을 때 슬쩍 부장에게 물어보았다. 돌아온 대답은 싱겁기 짝이 없었다.

"나랑 동갑이어서 그런가? 그냥 민 대리는 친구처럼 편하네."

그의 말을 곧이곧대로 믿진 않았지만, 남자는 부장을 마주할 때 대리와 부장이라는 계급 간의 거리를 느끼지 못했다. 그저 친구들 중에서 좀 잘나가는 녀석을 만나는 기분이랄까? 부럽고 질투도 나지만 그렇다고 외면할 정도로 거부감이 드는 사이는 아닌 그런…….

특히나 오늘처럼 아내랑 대판 싸우고 집을 나간 경우에는 자신의 얘기에 귀 기울여 주며 하룻밤을 재워 줄 부장의 존재가 무엇보다 절실했다. 그는 잠깐 고민을 했으나 이내 망설임 없이 부장의 오피스텔로 발걸음을 옮겼다. 미안하니까 편의점에 들러 함께 마실 캔맥주와 안줏거리를 사 들고 가는 건 익숙한 방문 절차였다.

"아니, 오늘은 또 왜 와이프랑 싸운 거야?"

지난주에 이어 같은 목적으로 남자가 방문하자 부장은 순순히 그를 집으로 맞아들이면서도 따지듯 물었다.

"얼마 전에 플레이스테이션 5가 출시되었거든요. 갖고 싶었던 물건이라 구매했는데 자기 허락도 안 받고 질렀다고 막 야단을 치잖아요."

남자는 부장이 사석에선 편하게 말을 놓으라고 했지만 그러지 않았다. 아무리 부장이 자신을 편하게 대해도 대리와 부장이라는 계급 간의 거리가 분명히 존재했기 때문이었다. 이른 가을밤, 캔맥주를 마시는 두 남자의 소소하지만 열띤 수다가 펼쳐졌다.

"빠듯한 살림에 네가 비싼 게임기를 질러서 그랬나 보지. 얼마 전에 집주인이 또 전세금 올려 달라고 했다며? 게다가 큰아들은 장염으로 병원에도 입원하고. 여기저기 돈 들어갈 때는 많은데 남편이라는 사람은 몰라주니까……."

"제가 월급을 빼돌려서 샀냐고요? 일 년간 용돈을 쪼개 한 푼 두 푼 모은 돈으로 산 건데……."

"아니면 스마트폰이나 태블릿보다 훨씬 큰 모니터로 유튜브나 넷플릭스를 시청할 수 있다는 걸 어필하지."

"그 말도 했죠. 그랬더니 집에서 살림하는 건 널널해서 그따위 소리 하냐고 오히려 화만 키웠어요."

"와이프가 자네 따라 외롭고 적적한 이곳까지 내려왔잖아. 게다가 홀로 가사에 육아까지 맡다 보니 지치고 힘들어서 신경이 날카로워진 거지. 그러니까 고래고래 소리 질러도 본심이 아니라 여기고 잘 받아 줘. 굳이 맞받아쳐서 상황을 이 지경으로 만들지 말고."

"부장님, 저는 안 힘듭니까? 밖에 나가서 시시덕거리며 노냐고요? 매달 그 여편네에게 갖다 바칠 월급 벌겠다고 회사에서 얼마나 시달리는데……."

남자의 목소리가 취기에 비례하여 점점 올라갔다. 이미 지난주에도 남자의 그런 모습을 감상한 부장은 그가 고성방가를 하여 옆집에서 민원이 들어오는 다음 수순을 막고자 서둘러 그를 재우려 했다.

"이봐, 너무 취했어. 그만 마시고 내 방에 들어가서 자."

부장은 완강하게 거절하는 남자를 끌어안고 자신의 방으로 데려갔다. 남자가 부장보다 키도 크고 힘도 셌던지라 부장의 고생은 이만저만이 아니었다. 방으로 끌려온 남자는 술에 취해 흐리멍덩해진 눈으로도 안방의 대형 TV 밑에 자리한 하얀색 물체를 또렷이 목격했다. 오늘 자신과 와이프의 부부 싸움을 촉발시켰던 바로 그 게임기였다.

"어? 부장님도 플레이스테이션 5 사셨네요?"

"응, 얼마 전에 상여금 들어왔잖아. 그 돈으로 마련했지. 집에서 혼자 심심할 때 갖고 놀려고."

"우와, 부럽다. 난 몽땅 와이프한테 뺏겼는데."

"뺏기다니? 집안 살림에 보탠 거지."

남자는 부장의 침대에 벌렁 드러누워서는 나지막하게 중얼거렸다.

"부장님은 왜 결혼 안 하세요?"

"그러게. 근데 네가 와이프랑 다정한 모습을 보여 줘야 나도 부러워서 노력할 거 아냐."

"부장님은 하지 마세요."

"왜?"

"게임기 하나 사는 데도 아내 눈치 볼 필요도 없고 그 걸로 싸울 일도 없고 좋잖아요. 월급으로 자기가 사고 싶은 것도 맘껏 사고."

남자는 자신이 뱉어 놓고도 그 말이 웃겼는지 피식 웃음을 터트렸다. 마찬가지로 부장도 그의 옆에 누워 실 없는 웃음을 보였다.

"난 네가 부러울 때도 있는걸. 집에 돌아오면 언제나 환한 불빛이 반겨 주잖아. 아침과 저녁에는 와이프가 만들어 준 따뜻한 식사가 기다리고. 그래, 저 게임기도 둘이 함께 즐길 수 있잖아."

부장의 말에 남자는 더 큰소리로 웃었다. 너무 실성한 사람처럼 보여 부장은 자리에서 일어나 걱정스런 얼굴로 그를 바라보았다.

"부장님, 저 집에 들어가면 항상 와이프가 불 꺼놓고 자고 있어요. 아침은 고사하고 저녁도 밖에서 먹고 들어간 날이 한두 번이 아닌 걸요. 그리고 어떤 와이프가 남편이 게임하는 데 함께해요? 때려 부수거나 욕조에 담그지만 않아도 다행이지."

남자는 마지막 말을 덧붙이고는 스르르 잠이 들었

다.

"부장님은 절대 결혼하지 마세요. 혼자 사세요. 가끔 제가 찾아오면 재워 주시고요."

부장은 어리둥절한 표정을 지으며 잠이 든 그를 말없이 바라보았다. 그의 코 고는 소리가 너무 우렁차 잠자기는 글렀다고 여긴 부장은 조용히 TV 앞에 가서 게임기의 전원 버튼을 눌렀다.

첫사랑

여자가 남자를 만난 건 일 년 전이었다. 모 벤처 기업의 대표였던 남자와의 만남을 주선한 이는 여자가 속했던 걸 그룹 '아이니'의 전담 매니저를 맡았던 오빠였다.

"외롭고 힘든 사람끼리 만나 말벗이라도 되어 주면 서로 좋지."

남자의 나이가 다소 많고 그리 잘생긴 외모는 아니었지만 여자는 순순히 소개를 받기로 했다. 그룹이 오랫동안 활동을 중단하면서 시간이 남아돌아 지루해서 그랬는지 아니면 친자매처럼 다정하게 지냈던 멤버들이 뿔뿔이 흩어지면서 외로워 그랬는지는 알 수 없었다. 아니면 오빠의 부탁을 거절할 수 없어 하는 수 없이 나갔던 걸까?

분명한 건 여자는 첫 만남에서부터 남자가 마음에 들

었다는 것이다. 남자에게서는 뭔가 형용할 수 없는 여유와 기품이 느껴졌다. 매너도 좋아 조카뻘에 불과한 여자를 언제나 배려하고 자상하게 대해 주었다. 솔직한 것도 매력이었다.

"이제 보니 얼굴과 몸매만 착한 게 아니라 마음도 그렇구나. 너에게 빠지지 않을 수 없겠는걸."

남자가 고른 맛집에서 식사하고, 남자와 단둘이 여행을 떠나고, 남자가 예약해 둔 근사한 별장과 호텔에서 같이 밤을 지새울 때마다 그는 여자의 오감을 자극하는 멘트를 날리고 진한 스킨십을 구사했다. 여자는 남자와 함께하는 모든 순간이 행복했다. 여자는 남자를 사랑했다. 남자는 그녀의 첫사랑이었다.

남자와의 만남은 여자에게 행운을 가져다주었다. 분량은 많지 않았어도 미니시리즈에 캐스팅되었고, 여기서 인지도를 얻어 두세 편의 영화에도 엔딩 크레딧에 이름을 올렸다. 통신사와 맥주, 보험 CF도 찍었으며 예능 프로그램의 고정 패널이 되기도 했다. 이제 여자는 대중들의 입에 오르내렸고, 그들의 기억 속에 각인되었다. 다만 그녀는 사람들이 자신을 걸 그룹 아이니의 멤버로 알아주지 않는 게 속상했다. 또한 멤버들에게 미안했다.

"그게 뭐 어때? 누구라도 잘나가야 다시 활동할 거아냐?"

지금은 아이니의 리더였다는 사실을 숨기고 평범한 여대생이 된 유하가 여자를 격려해 주었다. 강남역의 카페에서 서빙 알바를 하던 동기 멤버도, 아버지의 식당일을 돕던 막내 멤버도 모두 마찬가지였다.

"그래, 내가 대표님한테 앨범 내자고 설득할게. 내가 돈도 벌어 오고 인기도 있으니까 들어주실 거야. 다들 조금만 참고 기다려."

여자는 멤버들에게 뱉은 말을 어떡해서든 지키고 싶어 했다. 다행히 대표도 차기 앨범 제작에 긍정적이었다. 문제는 남자였다.

"그럼 바빠져서 나랑 만날 시간이 없을 것 아냐? 난 싫은데."

"비록 지금처럼은 자주 못 만나도 스케줄 조정하면 되지."

"싫어. 걸 그룹 하지 마. 돈이 아쉬워서 그러는 거면 말해. 내가 지금보다 더 줄 테니까."

"돈 때문에 그러는 거 아니잖아. 남들 앞에서 노래 부르는 게 꿈이었다고 말했잖아."

남자의 예상치 못한 반대에 여자는 당황했다. 자신과 함께 있는 시간이 줄어들어 토라진 마음은 충분히 이해했지만 자신의 일을 응원해 줄 거라고 믿었던 남자가 반대하자 너무 서운했다.

"난 그냥 내가 부르면 네가 달려와서 날 보며 웃고 쓰다듬고 같이 잠들었으면 좋겠어. 욕심인 건 알지만 아마 널 사랑해서 그런가 봐."

남자의 애처로운 눈빛과 말투에 여자의 마음은 크게 흔들렸다. 그래도 멤버들과의 약속을 생각해서 남자를 설득하고자 노력했다. 그러나 여자가 갖고 싶다는 것, 먹고 싶다는 것, 가고 싶다는 것들은 언제나 자상한 미소와 함께 들어주던 남자도 그것만큼은 단호히 반대했다.

"나야, 걸 그룹 활동이야? 하나만 택해. 너와 평생을 함께하는 미래를 꿈꿨었는데 이러면 너와의 관계를 다시 생각해 봐야 할 것 같아."

자신과 결혼까지 고민했다는 말에 여자도 더는 무너지지 않을 재간이 없었다. 첫사랑은 이루어지지 않는다는 말도 있었지만 남자를 떠나보내면서까지 이를 실현시키고 싶진 않았다. 여자는 남자를 사랑했다.

결국 여자는 걸 그룹 활동 재개를 포기했다. 더 나아가 이번 일을 계기로 남자가 자신의 연예계 활동을 탐탁지 않아 한다는 걸 깨닫고는 은퇴도 시사했다.

"야, 네가 무책임하게 이리 은퇴해 버리면 어떡해? 너만 믿고 대표가 앨범 내려고 하는 건데."

"미안해. 어떡하든 대표님 설득해서 나 없더라도 앨범 내도록 할게."

"퍽도 그러겠다. 이 나쁜 계집애야. 돈 많은 남자 물었으니 넌 아쉬운 것 없다고 내빼는 거야?"

"아냐, 그런 거 아냐. 정말 그 사람 좋아해서 그래. 그래서 미안하다고 했잖아. 근데 이렇게 몰아붙이면 난 어떡해."

서러움이 가득 밀려온 여자는 카페 서빙 알바를 하는 동기 멤버 앞에서 크게 울었다. 여자의 탈퇴와 은퇴로 걸 그룹 아이니의 컴백은 무기한 연기되었다. 아니, 해체까지 고려하게 되었다.

여자는 다시 남자와 행복했던 예전의 일상으로 돌아

갔다. 남자가 부르면 한달음에 달려가 그가 고른 맛집에서 식사하고, 그와 단둘이 여행을 떠나고, 그가 예약해 둔 근사한 별장과 호텔에서 같이 밤을 지새웠다. 마음 한편은 공허했지만 여자의 오감을 자극하는 남자의 멘트와 진한 스킨십이 이를 메웠다.

한 달 후, 여자와 남자의 관계가 세상에 공개되었다. 남자와의 많은 나이 차로 인해 아름답게 바라봐 줄 거라고 여기진 않았지만 대중들의 반응은 여자의 생각과 달리 거칠고 공격적이었다.

"얘도 스폰이었어?"

"어쩐지 듣보잡 걸 그룹 멤버가 TV에서 설치고 다니더라니."

"아니, 아무리 힘들어도 삼촌뻘 되는 남자와 그런 짓을 하고 싶을까?"

"불쌍한 면도 있지. 얼마나 인생이 바닥까지 갔으면 그런 선택을 했겠어?"

"하긴 핸드폰이 끊기면 그런 극단적인 선택도 한대."

"아냐, 그런 거 아냐. 정말 그 남자 좋아해. 우린 그런 더러운 관계 아니라고."

대중들은 아무도 여자의 하소연에 귀 기울이지 않았다. 그저 그들이 떠들고 싶은 대로 맘껏 떠들 뿐이었다.

여자의 더 큰 슬픔은 이런 풍문들이 모두 사실이었다는 점이었다. 남자는 여자 말고도 숨겨둔 애인들이 많았다. 다른 걸 그룹의 멤버부터 시작해서 신인 탤런트, 레이싱 모델, 치어리더, 기상 캐스터 등 연령과 직업이 참으로 다양했다.

다만 이들은 남자의 능력을 바라고 노골적으로 만남을 가졌다. 이들과 달리 여자는 자신을 순수하게 만나서 좋았다고 남자가 모 매체와의 인터뷰에서 밝혀 많은 이들의 공분을 샀다.

남자는 여자의 첫사랑이었다.

더위

"야, 비 온다며?"

CITI100을 아무렇게나 주차하고 들어온 여자는 동료 크루를 보자마자 대차게 쏘아붙였다. 헬멧을 벗은 그녀의 머리에서 땀방울이 폭포수처럼 주르륵 쏟아져 내렸다.

"오후에는 소나기가 내릴 거라고 분명 뉴스에서 그랬는데."

"그 여자 캐스터, 얼굴만 예뻤지 순 엉터리야."

전달받은 원고를 카메라 앞에서 앵무새처럼 떠드는 캐스터에겐 분명 아무런 잘못이 없을 텐데도 여자는 기상 오보를 그녀의 탓으로 돌렸다.

"진짜 기우제라도 지내야 할까?"

"그러다 저번 달처럼 폭우가 사흘 내내 퍼부으면 어

떡해요?"

"에휴, 빨리 때려치우든지 해야지."

모 햄버거 프랜차이즈 배달 크루인 여자는 여름이 찾아오자 구시렁거리는 날들이 많아졌다. 점주에게는 미안한 얘기지만 오늘처럼 작열하는 태양이 지상의 모든 것을 녹여 버리는 무더운 날이나 지난달처럼 폭우가 쏟아져 빗물이 발목까지 차는 날이면 제발 고객들이 배달을 시키지 않기를 여자는 아무 신에게나 숱하게 빌었다. 그러나 그런 날일수록 더욱 나가기 싫어했던 손님들은 손쉽게 수화기를 들거나 배달 앱을 실행시켰다.

뉴스에서는 폭염 주의보가 발령되었으니 외출을 삼가라는 통보를 날렸지만 여자를 비롯한 배달 크루들에게는 그저 귓가를 앵앵거리는 시끄러운 소리일 뿐이었다. 배달이 조금만 늦어도 가뜩이나 무더위에 불쾌지수가 오른 고객들은 분노를 고스란히 크루에게 쏟아냈다. 그러니 이들은 하늘이 만들어 낸 천연 불가마에 자신의 몸과 마음이 벌겋게 익어 간다는 걸 알면서도 이를 뚫고 고객에게로 달려갔다.

이런 그들에게 주어지는 시급은 고작 8천 원이었다.

하루 종일 죽어라 일해야 신사임당 여사님을 겨우 지갑으로 영접할 수 있었다.

"그래도 최저 시급보단 많이 주잖아. 4대 보험도 가입해 주고."

그나마 이게 불가마를 뚫고 질주하는 크루들에게 자그만 위안거리였다.

방금 배달을 마치고 돌아온 크루가 유니폼 안에서 플라스틱 생수통을 꺼내 냉장고에 집어넣었다. 또한 주문을 받고 배달을 나서려던 다른 크루는 손수건을 잔뜩 적신 다음 머리에 얹고 그 위에 헬멧을 착용했다. 모두 아스팔트에서 발산하는 지열을 어찌어찌 해서라도 막아 보려는 임시방편들이었다. CITI100의 손잡이 사이로 거치대를 장착해 미니 선풍기를 설치하거나 교묘하게 그늘진 곳으로만 다니는 기예를 보여주는 이들도 있었다.

여자는 아무런 조처도 하지 않았다. 점포로 돌아오면 곧장 찬물로 세수를 한 다음 에어컨 바람이 정통으로 불어오는 목 좋은 자리를 차지하고 앉았지만 그녀는 배달 중엔 정정당당히 따가운 햇볕과 뜨거운 열기와 맞서 싸웠다.

"그러다 한번 쓰러져요, 누나. 주행 중에 그러면 큰 사고 난다고요. 조심하세요."

"하루 이틀 하니? 걱정 마. 황도 들고 병문안 오는 일 없도록 할 테니."

하지만 며칠 뒤 동료 크루는 황도를 들고 점포에서 그리 멀지 않은 병원으로 병문안을 가게 되었다. 다만 입원한 이는 여자가 아니었다. 지난주에 갓 들어온 신입이었다. 그는 배달을 나선 지 고작 사흘 만에 더위를 먹고는 정신을 잃은 상태에서 오토바이를 몰다가 그만 어느 조그만 골목길에 자리한 전봇대와 크게 부딪쳤다. 그는 왼쪽 다리에 금이 가는 부상을 입었는데 그만하길 천만다행이었다. 아마 차들이 씽씽 활보하는 도로였더라면 지금쯤 저승사자와 면담을 나누는 중일지도 몰랐다.

"진짜 그만둬야겠어요."

병문안을 마치고 돌아오는 길에 동료 크루는 현재 날씨와 달리 먹구름이 드리워진 얼굴로 낮게 중얼거렸다. 여자는 곁에서 그에게 핀잔을 주었다.

"걔는 초짜니까 사고 난 거지. 바보같이……."

"아뇨, 정말 그만둬야겠어요. 시급 8천 원에 목숨을

걸며 달리고 싶진 않아요."

"여기 그만두면 뭐 하려고? 갈 데는 있어?"

"몸이 건강한데 어디 갈 곳 없겠어요?"

"그래도 시급을 8천 원이나 주고 4대 보험 가입해 주는 일자리는 없을걸."

크루는 여자의 말을 반박하지 못했다. 자신이 몸담은 햄버거 프랜차이즈는 고작 최저 시급보다 오백 원을 더 주는 데 불과했지만 그렇지 못한 곳도 수두룩하다는 걸 잘 알았다. 게다가 4대 보험에도 가입해 주었다. 그 덕분에 사고를 당한 크루도 치료비 걱정 없이 보험료로 병원비를 해결할 수 있었다.

"결국 인간의 노동력이 제일 싸네요."

고졸 중퇴인 동료가 본인의 머리에서 이런 멋진 말을 떠올리지 않았다는 걸 여자는 잘 알았다. 아마 점주가 보다 흘린 신문 쪼가리에서 봤겠지.

기분이 울적하다며 하루를 접은 동료와 달리 여자는 점포로 돌아오자마자 다시 배달에 돌입했다. 올 한 해 부지런히 돈을 모아야 내년에 다시 대학에 복학할 수 있었다. 그녀의 친구들이 벌써 졸업해 취업이나 취집을 했음에도 불구하고 그녀는 휴학과 복학을 반복한 탓에 아직 2학년이었다. 모든 게 다 등록금 때문이었다. 등록금은 왜 그렇게 비싼지, 올해 하반기에도 낡은 CITI100 위에 몸을 싣고 죽어라 도로를 질주해야 겨우 마련이 가능했다. 남들처럼 부모님께 손을 벌리면 되지 않느냐는 지인들의 충고는 전혀 도움이 되지 않았다. 여자의 부모님은 그들과는 달랐다. 적어도 경제적인 면에서는 확실히……

그날도 역시나 덥고 습하기는 마찬가지였다. 붉은 애마 위에 올라탄 여자의 유니폼은 마치 물에 들어갔다 온 것처럼 흠뻑 젖었으며 얼굴에서는 땀이 비 오듯 쏟아졌다. 게다가 도로도 차들로 가득해 평소처럼 시원시원하게 달리지 못하고 가다 서다를 반복했다. 이 모든 게 여자의 애간장을 태우고 짜증을 부추겼다.

갑자기 여자의 시야가 뿌옇게 흐려졌다. 이내 머리가 어지럽더니 세상이 자신을 중심으로 빙그르르 도는 착각에 빠졌다. 나름대로 일 년 넘게 오토바이를 몰았던 베테랑이 아니었다면 여자는 필시 균형을 잃고는 땅바닥에 그대로 곤두박질하며 크게 다쳤을 것이다. 그녀는 안

간힘을 다해 정신을 차린 다음 재빨리 도로에서 빠져나와 인적이 드문 인도에 오토바이를 주차했다. 헬멧을 아무렇게나 벗어던지고는 눈앞에 자리한 가로수 그늘 밑으로 달려갔다. 아직 여자가 바라보는 세상은 하얗게 안개가 끼었으며 땅바닥은 여전히 출렁거렸다.

황급히 배달 장소로 달려가야 했건만 여자는 그곳에서 한동안 멍하니 앉아 있었다. 자신을 태워 버릴 듯한 열기를 내뿜는 그늘 밖 세상으로 다시 나가기가 두려워졌다.

'여길 그만둬야 하나? 그럼 등록금은 어떻게 마련하지?'

이런 고민들이 여자의 발목을 붙잡았던 것도 이유였다.

이때 1톤짜리 봉고 트럭을 개조해서 만든 이동식 카페가 여자의 눈에 들어왔다. 자그만 녹색 칠판에는 시원한 애플망고 주스가 단돈 2,500원이라고 적혀 있었다. 여자는 바지 주머니를 뒤적였다. 하지만 오래된 먼지만 튀어나올 뿐 쩽그랑거리는 동전 소리조차 들리지 않았다.

"저기요… 이거 주스랑 바꿔 주시면 안 될까요?"

그럼에도 불구하고 시원한 얼음이 동동 뜬 주스를 마시며 갈증을 풀고 싶었던 여자는 배달하려던 햄버거를 대뜸 카페 사장에게 내밀었다. 서둘러 이걸 주문한 고객에게 전달해야 했건만 작열하는 태양은 여자의 머리를 이상하게 만들었다.

여자가 내민 햄버거가 맛있게 보였는지 아니면 그녀가 불쌍해 보였는지는 몰라도 사장은 주스를 그녀에게 내밀고는 대신 햄버거를 받았다. 그늘로 돌아온 여자는 다시 초점 잃은 눈으로 전방을 바라보며 빨대로 쪽쪽 주스를 들이마셨다.

그리고… 자신의 청춘도 쪽쪽 들이마셨다.

복근

몇 달 전부터 여자에게는 못된 버릇이 하나 생겨났
다. 아침 일곱 시면 어김없이 일어나 환풍구로 옆 건물을
관찰하는 것이었다. 그녀가 기거하는 고시원 건물 옆에
는 겨우 사람 하나 드나들 수 있을 정도의 틈을 사이에
두고 대형 복합 상가가 자리했다. 고시원과 나란한 층에
헬스클럽이 위치했는데, 그곳의 남성 샤워장이 바로 고
시원 건물과 맞닿는 면에 놓여 있었다. 그리고 반대 면이
바로 여자의 방이었다.

여자가 묵기 이전에는 아무도 그 방에서 유일하게 외
부로 뚫린 환풍구를 주목하지 않았다. 사람 키보다 높은
곳에 자리하고 있다는 사실만 인지했을 뿐 그 누구도 그
안을 들여다볼 생각은 하지 없었다. 여자 역시 그 방을
배정받은 지 넉 달이 다 되도록 다른 이들과 마찬가지였

다. 그러다 벽시계를 달고자 책상을 밟고 올라서고 나서야 환풍구가 방 안의 공기를 정화하는 목적 외에도 달리 쓰일 수 있음을 파악했다.

그 환풍구를 통하면 바로 옆 건물에서 샤워하는 남성들의 나신을 적나라하게 감상하는 게 가능했다. 남성 샤워장은 안이 훤히 들여다보이는 통유리로 되어 있었는데, 맞은편 고시원 건물은 환풍구를 제외하면 전부 빨간 벽돌로 막혀 있어 그곳을 이용하는 남성 고객들은 전혀 이를 눈치채지 못했다.

여자도 처음엔 무심결에 환풍구를 들여다봤다가 남자의 벗은 몸을 목격하고는 크게 놀랐다. 얼른 시선을 떼고 홍당무가 된 자신의 얼굴과 쿵쾅거리는 심장을 진정시키고자 애를 썼다. 그런데 자꾸만 잠자리에서 구릿빛 피부에 떡 벌어진 어깨, 빨래판 같은 복근이 계속 아른거리자 엿보고 싶은 충동을 억누를 수 없었다.

이를 해결하고자 몰래 엿보는 나날이 많아지면서 여자의 감정은 어느새 무덤덤해졌다. 이젠 마음속으로 남성들의 몸매를 찬찬히 훑어보며 자신만의 별점을 매길 정도였다. '케바케'이긴 했지만 헬스클럽이 고객들의 몸매 관리에 신경을 많이 쓰는 덕분인지 별점은 대체로 높았다. 와락 그들의 품에 달려가 안기고 싶은 훌륭한 바디의 남성들도 많아 자주 그녀의 꿈속에 번갈아가며 나타나곤 했다.

이러다 보니 예상치 못한 부작용이 발생해 여자를 곤란에 빠트렸다.

"어제 그 포르노 영화 잘 보더라. 난 너무 낯 뜨겁고 부끄러워서 보다가 그냥 자리를 떴는데."

"체대 애들이 알통 구보하는데 버젓이 걔네들 쳐다보며 걷더라. 안 부끄러워?"

"며칠 전에 동네 근처 여고에 출몰한 바바리맨을 때려잡은 게 너라며? 다들 놀라서 비명 지르며 도망치느라 바빴다던데, 넌 어떻게 그리 태연했어?"

이처럼 요조숙녀에 어울리지 않는 행동들을 무의식적으로 선보여 주변 사람들을 어리둥절하게 만들었다. 그렇지만 여자를 가장 난감하게 만들었던 일은 그저께 벌어졌다.

"그만하길 천만다행이지. 김 트레이너가 조금만 늦게 발견되었어도 그만……."

"근데 김 트레이너가 샤워장 바닥에 미끄러져 쓰러진 건 대체 어떻게 알아낸 거야? 그 시각엔 아무도 없었다며?"

"글쎄, 그게 나도 궁금하단 말이야. 119도 누군가의 신고를 받고 출동했다던데."

신고를 한 이는 바로 여자였다. 그날도 평소처럼 샤워장을 엿보다가 사고를 목격하고는 지체 없이 119에 신고를 하였다. 그러나 이러한 사달이 일어날 줄 알았다면 주저했을지도 모른다. 아니, 그럼에도 불구하고 신고해야 했을까? 여자는 자신의 신고 사실이 들통날까 봐 노심초사했다.

여자는 복잡한 심정을 가득 품고 카페로 향했다. 지난달에 그녀가 새로 구한 알바였다. 고시원에서 가깝고 시급도 높아 여자는 주저 없이 일하겠다고 지원했다. 그런데 소소한 불만이 있었다. 자신도 손님들에게 자신이 직접 만든 커피를 내놓고 싶은데 사장은 자꾸만 바닥과 테이블 청소만 시킬 뿐이었다.

유니폼이랍시고 짧은 핫팬츠를 입게 하는 것도 포함이었다. 손님들의 주문을 받아 커피를 제조하는 여자 바리스타나 스태프는 카운터가 가려 주어 불만을 표하진 않았지만 여자는 허벅지가 훤히 드러나 여간 신경이 쓰이는 게 아니었다. 실제로 많은 남성 손님들이 여자의 하얗고 탄력 있는 허벅지를 자주 힐끔힐끔 쳐다보았다. 여자는 바닥과 테이블을 닦다 보면 자주 고개를 숙여야 했는데 그럴 때마다 그녀의 가슴골도 은근슬쩍 드러났다. 이것 역시 남성 손님들이 군침을 흘리며 엿보고자 하는 장면이었다.

실은 그런 이유들 때문에 사장이 여자를 카운터 밖으로 내몬다는 걸 여자는 그곳을 그만둘 때까지 전혀 알지 못했다. 그러면서 사장도 다른 손님들처럼 성적 매력을 어필하는 여자의 몸을 훔쳐봤다는 것은 더더욱 몰랐다.

다만 카페를 드나드는 남성 손님들의 음흉한 시선은 여자도 어느 정도는 눈치챘다. 다만 증거를 잡을 수도 있는 게 아니어서 따지거나 응징할 수도 없었고 괜히 가게를 시끄럽게 해 모처럼 구한 꿀알바 자리에서 잘리고 싶지도 않았다. 때로는 우쭐한 기분이 들기도 했다.

'내 몸매가 그렇게 대단한가? 훔쳐보고 싶을 정도로 말이야?'

여자는 분명 불쾌해야 하는 게 분명한데도 이런 생각
이 드는 자신을 이해할 수 없었다.

그러던 어느 날, 여자는 도가 지나치다 싶을 정도로
자신의 허벅지와 다리를 뚫어져라 바라보는 남자를 발
견했다. 주변을 의식해 수시로 눈길을 거두는 이들과 달
리 그는 마치 작품 감상이라도 하는 것처럼 뚫어져라 바
라봐 도저히 그냥 넘어갈 수 없었다.

결국 여자는 잔뜩 성난 얼굴을 하고는 성큼성큼 남자
의 테이블로 다가갔다. 그는 여자가 똑바로 자신을 향해
다가오자 그제야 얼굴을 돌리며 당황한 표정을 지었다.

"저기요, 지금 뭐 하는 짓이에요?"

그러나 여자는 남자와 정면으로 시선이 마주치자 그
다음 말을 잇지 못하고 굳어 버렸다. 이 틈을 타서 남자
는 황급히 테이블을 벗어나 카페를 빠져나갔다. 그는 바
로 얼마 전에 사고를 당한 자신의 옆 건물 헬스클럽에서
일하는 김 트레이너였다.

식사

남자가 학과장과 식사를 가졌던 날은 학기의 종강일이었다. 지난주에 학과장은 대뜸 남자에게 전화를 걸어 종강일에 맞춰 함께 식사하자고 제안했다. 남자가 A대학을 출강한 이래 처음 있는 일이었다. 학과장한테 잘 보인 일도 없는데 대체 왜 자신과 식사하자고 하는지 영문을 알 수 없었던 남자는 여기에 담긴 의미를 지인들에게 물어보았다. 돌아오는 답변은 대체로 비슷했다.

"보나 마나 너 자르려고 그러나 보네."

"그럼 그냥 다음 학기엔 위촉이 불가하다고 통보하면 그만이지, 굳이……."

A대학 말고 타 대학에도 출강을 나갔던 남자는 달랑 다음 학기엔 불가하다는 통보 문자나 아예 일언반구도 없이 위촉되지 않는 일을 비일비재하게 겪었다. 따라서

지인들의 충고가 크게 와 닿지 않았다.

"삼 년이나 계속 출강했다며? 그런데 단박에 자르려니까 미안해서 그런가 보지."

"정말로 그냥 밥 한 끼 같이 먹자는 뜻 아닐까?"

"모르겠다. 같이 식사하다 보면 알게 되겠지."

남자는 여전히 해결되지 않은 궁금증을 안고 종강하자마자 곧장 학과장의 연구실로 향했다. 그는 조만간 들어설 KTX 역사 맞은편에 자리한 감자탕 집으로 남자를 안내했다.

"박 선생께서 좋아하는 곳으로 데려가야 하는데 어제 늦게까지 술자리를 가져서… 해장 좀 하겠습니다."

학과장은 어제도 B물산의 인사부장과 늦은 밤까지 거나하게 술자리를 가졌었다.

"예, 좋으실 대로."

남자는 지금 메뉴가 중요한 게 아니었다. 학과장이 밥 먹다 무슨 얘기를 꺼낼지에만 온통 신경이 가 있었다. 따라서 설령 산해진미를 대령해 놨어도 아마 남자는 제대로 음미하지도 못했을 것이다.

국자로 감자탕을 한 접시 떠먹을 때까지 두 사람 사

이에는 어색한 침묵이 감돌았다. 이를 먼저 깨트린 이는 학과장이었다.

"강의는 할 만합니까?"

"네, 이젠 익숙해져서 진행하는 데 별 어려움은 없습니다."

"근데 지난 학기 강의 평가가 좋지 못하던데, 그건 왜……."

학과장은 말끝을 흐리며 남자의 강의 평가를 걸고넘어졌다. 예상치 못한 공격에 남자는 적절한 답변을 찾지 못하고 횡설수설했다.

"에… 그건 아마도… 제가 지난 학기에 너무 학점을 짜게 줬더니 학생들이 반발해서… 아니, 강의 평가 참여자가 적다 보니 표본 오차가 커서인지……."

"어쨌든 그래 가지곤 재위촉이 힘든데… 학장이 자꾸 강의 평가를 들먹여서……."

남자는 속으로 지인들의 충고가 옳았음에 새삼 놀랐다. 역시 학과장의 식사 제안은 마음이 모질지 못한 그가 따뜻한 밥이라도 먹인 후에 남자에게 위촉 불가 통보를 날리기 위한 액션이었다. 남자는 그게 자신을 기다리고 있는 운명이라면 순순히 받아들이겠노라고 다짐했다. 하지만 그렇다고 가만히 앉아서 당하고만 있긴 싫었다.

"하지만 이번 학기 강평은 괜찮을 겁니다. 신경을 좀 많이 썼거든요. 그럼 학장님도 이해하고 넘어가시지 않을까요?"

조리를 갖춘 남자의 반박에 학과장은 난감한 표정을 감추지 못했다. 그는 잠시 허공으로 시선을 돌려 실내를 밝게 비추던 형광등을 바라보다가 이내 다음으로 준비한 말을 꺼냈다.

"아, 그러신가요? 근데 학장이 최근에는 연구 실적도 많이 따져서…… 저도 요새 그것 때문에 집에도 못 들어가고 학회에 투고할 논문 쓰느라 정신이 없습니다."

남자에게 이건 아까보다 더욱 방어하기 쉬운 공격이었다.

"어휴, 저도 이번 학기엔 소논문 쓰느라 정신이 없었네요. 그래도 몇 군데 학회지에 실려서 고생한 보람은 느꼈습니다."

"그러세요? 무척 바쁘게 보내셨네요."

학과장의 표정은 아까보다 더욱 어두워졌다. 적절한

명분을 내세워 위촉 불가 통보를 내리려던 그의 계획에
자꾸 차질이 가해진 까닭이었다.

"외지에 학교가 자리해 다니시는 데 많이 불편하시
죠?"

"곧 KTX가 뚫리지 않습니까? 그때까지만 참으면
뭐……."

"소설 쓰시면서 강의 준비하느라 힘드시죠?"

"동료 소설가들도 다 그렇게 하며 입에 풀칠하는데,
저도 견뎌야죠."

"요즘 학생들이 철이 없고 자기중심적이라 가르치시
는 데 애를 많이 먹으시죠?"

"아뇨, A대학 학생들이 제가 출강 나가는 학교들 중
에서는 수업에 제일 열정적입니다."

남자는 학과장의 숱한 공격에도 능청스럽게 답변하
며 그의 말 공격을 모조리 막아냈다. 그의 위촉 불가 통
보에 어깃장을 놓으려던 건 아니었지만 곤란한 질문을
건네는 게 아니어서 남자의 답변은 시원시원했다.

어느새 감자탕은 바닥을 보였건만 학과장은 소기의
목적을 달성하지 못하고 그만 자리에서 일어서야 할 판

국이었다. 그는 계산서를 만지작거리며 마지막으로 좋은 공격 거리가 없나 골똘히 생각에 잠겼다.

"저기 혹시… 박사 학위는 있으시죠?"

학과장 처지에서는 가벼운 잽을 날린 거지만 남자에게는 묵직한 훅으로 다가왔다. 왜냐면 남자에겐 학위가 없었다. 원고료와 강의료로 하루하루를 먹고사는 데 급급한 그에겐 박사 논문을 쓸 시간에 소설을 쓰고 강의를 준비해야 했다. 남자에게 박사 학위는 많은 시간과 돈을 들여야 하는 일종의 사치품이었다.

"아니요, 없는데요."

다소 자신감 없는 남자의 목소리에 그제야 학과장의 표정이 밝게 변했다. 그러나 남자 앞이라 황급히 숨기고는 짐짓 위로하는 척을 했다.

"어허, 아직 학위가 없으시면 곤란한데… 요새 학장이 그것도 많이 따져서……."

남자는 이만하면 선방했다고 생각했다. 어차피 결론은 정해져 있는데 이 이상 학과장을 난처하게 하는 건 마지막으로 자신에게 따뜻한 식사 대접을 한 그에게 도리가 아니라고 여겼다.

"그렇군요. 그럼 하는 수 없죠. 그래도 부족한 절 삼 년간 강사로 써주셔서 대단히 고맙습니다."

"아유, 안타까워서 어떡해요? 저희 학과를 위해 고생을 많이 하셨는데……."

하지만 자리에서 일어서 카운터로 향하는 학과장의 발걸음은 날래고 경쾌했다. 남자는 이를 보면서 얄밉거나 분하다는 생각이 들진 않았다. 그냥 자신도 모르게 허탈한 웃음이 입가로 새어 나왔다. 패배를 덤덤히 인정했기에 맛볼 수 있는 묘한 기분이었다.

[Web 발신] 한국장학재단 – 대출금 원금과 이자 납입일이 6월 18일 △△은행입니다.

남자가 핸드폰을 들여다보니 이번 달에도 어김없이 학자금 대출을 갚으라는 문자가 도착했다.

'아, E대학도 재위촉이 글렀는데 A대학마저 잘리면 난 뭐 먹고 살지. 그 친구 말마따나 보습 학원에라도 들어가야 하나.'

아직 A대학이 자리한 고장은 KTX가 뚫리지 않아 남

자의 상경은 아직 참으로 멀고도 험했다.

첫차

여자는 핸드폰 알람이 울리자 서둘러 작업실을 나섰
다. 해가 많이 길어졌다지만 새벽 4시의 거리는 아직 짙
은 어둠이 내려앉은 채였다. 여자는 밤새 글을 쓰느라 눈
이 침침하고 어깨가 결렸지만, 발걸음만은 가벼웠다. 두
달간 집필한 장편 소설을 마침내 탈고했기 때문이었다.
출판사에 넘기려면 며칠 더 작업실을 들락거리며 퇴고
해야 했지만, 드디어 지긋지긋한 새벽 귀가와 굿바이할
수 있었다.

눈을 떠보니 유명해졌다는 속담처럼 여자는 불과 일
년 만에 유명 작가가 되었다. 고료라도 받아서 생활비에
보태고자 그녀는 '이예민'이라는 필명으로 모 웹 소설 사
이트에 로맨스 소설을 연재했다. 그게 바다를 건너 중국
독자로부터 큰 사랑을 받았다. 그러자 이들은 여자의 다

른 소설들도 찾기 시작했다. 그녀의 다른 소설들은 남녀 간의 달달한 대사나 로맨틱한 장면은 눈을 씻고 찾아봐도 없는 순수 소설이었다. 하지만 여자의 인기로 인해 그 소설도 꽤나 많이 팔려 나갔다. 그리고 덜컥 해외의 권위 있는 문학상을 수상하는 영예를 얻었다.

"이 작가, 다음 소설은 우리랑 계약해야지. 조건은 섭섭하지 않게 해줄게."

"그러고 싶지만 써둔 작품이 없는 걸요."

"일전에 인터뷰에서 말했던 차기작 있잖아. 그거 우리가 출간할게."

"시놉시스 정도만 끄적거린 상태라서……."

"괜찮아. 지금부터 천천히 쓰면 되지 뭐. 그럼 그 작품으로 우리랑 계약하는 거야?"

여자는 자신에게 밀려드는 출판사의 출간 러브콜이 마냥 기쁘지는 않았다. 예전에는 투고하면 자사의 출간 방향과 맞지 않는다고 퇴짜를 놓더니, 이제는 서로 달라고 아우성치는 꼴이 가증스럽게 느껴졌다. 그리고 소설을 마치 창고에 쌓아 둔 재고품인 듯, 있으면 꺼내서 팔라는 태도도 우스웠다.

그렇지만 여자는 가난했다. 금으로 도금된 해외 문학상 트로피가 방 안을 번쩍번쩍 빛냈지만, 아직 자신의 살림은 그러지 못했다. 그녀는 계약을 하고는 출판사가 제공한 오피스텔에서 소설을 집필했다. 마감일을 지키려면 오늘처럼 밤을 새워야 하는 경우가 부지기수였다. 설령 기한을 좀 넘긴다고 해서 출판사가 독촉하지는 않을 터였지만 그녀는 책잡히기가 싫었다.

택시를 탈 수도 있었지만, 여자는 주로 버스를 이용했다. 늦은 새벽 홀로 택시를 타는 게 두려웠다. 여성 혼자서는 뭐든 외롭기도, 무섭기도 한 세상이었다. 대신 버스는 언제나 승객들로 만원이었다. 그녀가 항상 첫차를 이용하는데도 말이다. 그 북적거림이 썩 유쾌하지는 않았지만 혼자 있다는 두려움보다는 나았다.

정류장에는 이미 몇 명의 승객들이 버스가 올 방향으로 고개를 내밀며 기다리는 중이었다. 여자도 자연스럽게 이 무리에 합류했다. 고개를 돌리니 낯익은 분들이 시야에 들어왔다. 항상 같은 야구 모자를 쓰는 할아버지와 뒤뚱거리는 걸음으로 바싹 그의 뒤를 쫓는 할머니였다. 누가 보면 다투고 나서 따로 걸어오는 노부부처럼 보였겠지만 이들은 남남이었다.

"신풍 할배, 밤길 무서우니까 좀 같이 가자니까."

"강남 할매, 첫차 곧 올 시간 됐어. 서둘러."

둘은 각각 신풍역과 강남역 부근에 자리한 빌딩을 청소하는 노동자들이었다. 여자를 제외한 나머지 승객들도 모두 마찬가지였다. 이들은 머리에 하얀 서리가 내려앉았거나 등이 굽었으며 얼굴엔 주름이 가득했고 손은 거칠었다. 모두 세월의 풍화를 고스란히 맞으신 분들이었다. 이들은 직장인들이 출근하기 전에 자신이 맡은 빌딩에서 사무실의 쓰레기통을 비우거나 화장실의 막힌 변기를 뚫어야 했으며 뿌연 창문과 얼룩진 복도를 닦아야 했다.

둘은 여자를 보자 누런 이를 드러내며 반갑게 웃었다.

"오늘은 고터 아가씨가 먼저 왔네."

맨날 비슷한 시각에 같은 버스를 타다 보니 노구의 승객들은 대개 서로 안면을 트면서 말을 섞었다. 이들은 서로의 이름과 나이를 묻지 않았다. 그러다 보니 그들이 내리는 정류장이 서로를 부르는 호칭이 되었다. 연령은 대충 눈대중으로 자신보다 많아 보이면 형, 누나, 오빠, 언니였고 어려 보이면 쉽게 말을 텄다. 실제 나이를 확인하면 난감한 상황이 빚어졌을 수도 있겠지만 이들은 한 번도 민증을 까자는 소리를 하지 않았다. 그저 다들 첫차를 함께 타며 비슷한 업종에 종사하는 새벽 동지일 뿐이었다.

버스가 정거장에 정차할 때마다 한 무리씩 청소 노동자들이 버스에 올랐다. 이들은 이미 먼저 승차한 동지들과 가벼운 안부를 주고받았다.

"어제는 왜 안 보였어?"

"영감이 어제 또 발작이 도져 병원에 있었잖아."

"그놈의 영감탱이, 할망구 생각해서 그만 저승사자 따라가지."

이런 수다들이 이어지면서 첫차는 뻥 뚫린 도로를 신나게 달렸다. 어느새 버스 안은 승객들로 발 디딜 틈이 없었다. 어떤 할머니는 아예 1인용 돗자리를 꺼내 뒷좌석 문턱에 깔고는 잠을 청했다. 러시아워 때보다 붐비는 실내로 인해 여자는 혹시 그 시간으로 자신도 모르게 타임슬립을 한 게 아닌가 하는 착각에 빠지기도 했다.

"근데 고터 아가씨는 무슨 일을 하길래 이 시간에 퇴근하는 거야? 혹시 신도림 언니가 말한 대로 밤일이야?"

오늘따라 가는 길이 심심했는지 평소와 다르게 강남역 할머니가 여자에게 말을 붙였다. 신풍역 할아버지가 옆에서 할머니에게 핀잔을 주었다.

"행색을 봐. 이 아가씨가 그런 곳 나가는 것처럼 보여? 보아하니 편의점 알바 뛰는 모양이구먼."

여자는 굳이 자신이 소설가라는 사실을 떠벌리지 않고 침묵했다.

"그렇지? 나도 언니 말 믿진 않았어. 그나저나 아가씨가 고생이 많네. 얼른 취직해서 이 버스 떠나야지."

평소에는 나란히 앉았어도 별말이 없었던 여자는 오늘은 왠지 할머니와 이런저런 얘기를 나누고 싶어졌다.

"할머니도 얼른 떠나셔야죠. 일이 힘들진 않으세요?"

"나야 봉천역 아우처럼 앓아누운 남편이 있나, 애들도 다 커서 자기 앞가림은 하니 힘들 게 없지. 자식들한테 손 벌리기 싫으니까 하는 거야. 한 달에 고작 140 받지만 내 몸만 건사하면 되니까 뭐."

그런데 할머니는 불현듯 떠오른 것이 있는지 말을 이

어 나갔다.

"간혹 청소가 늦어지면 출근하는 직원들과 마주할 때가 있거든. 그러면 여태 뭐 하고 있었기에 아직도 하냐고 꼭 따지는 놈들이 있어. 그럴 때면 때려치울까 하는 생각을 하지."

그러자 신풍역 할아버지도 여자와 할머니의 대화에 끼어들었다.

"나는 매번 느낀다고. 봐, 이 사람들로 득시글거리는 버스를. 휴가철인데도 요 모양 요 꼴이야. 출근 전부터 이리 시달리면 청소할 때마다 다리가 후들거린다고. 버스 회사가 그냥 첫차를 한 대 더 배치해 주면 안 되나?"

여자는 둘의 이런저런 하소연을 들으며 자신의 목적지인 고속터미널역 정류장에 도착했다. 그녀가 내리려고 하자 할머니가 반갑게 손을 흔들며 배웅해 주었다.

"고터 아가씨 잘 가. 내일 새벽에 또 봐."

여자는 가볍게 고개를 끄덕이며 인사를 받고는 하차했다. 그녀가 떠나자 버스는 어느새 휑하니 사라졌다. 해가 많이 길어졌다고 하지만 정류장은 아직 짙은 어둠이 내려앉은 채였다.

구경거리

여자는 걸 그룹 '아이니'의 멤버였다. 아이니는 결성된 지 벌써 삼 년이 넘었건만 아직 변변한 대표곡 하나 없는 무명의 그룹이었다. 팬도 별로 없었고 이런 그룹이 있었는지 대중들이 고개를 갸우뚱거릴 정도로 존재감이 희미했다. 그렇지만 이들을 만든 기획사 대표는 로또를 긁는 사람의 심정처럼 언젠가는 터질 것이라는 믿음으로 그룹을 계속 유지했다.

그로 인해 고생하는 것은 그룹의 멤버들이었다. 앨범 판매량은 저조하고 불러 주는 행사는 없으며 방송과 CF 출연은 언감생심이니 수입은 거의 없다시피 했다. 그래서 멤버들은 각자도생을 모색해야만 했다. 총 아홉 명의 멤버 중에서 삼 분의 일은 집에 빌붙었으며 다른 삼 분의 일은 각종 알바를 뛰며 생활비를 마련했다. 나머지 삼

분의 일은 검은 유혹의 손길을 뿌리치지 못했다. 요새 잘 나가는 모 IT 회사 사장의 스폰서 제안을 덥석 받아들여 그의 비밀 애인이 되기도 했고, 성인물에 출연하거나 개인 방송을 시작해 툭하면 자신의 속살을 남성 시청자에게 드러내 보이는 대신 별풍선을 얻어냈다.

'유하'라는 예명을 쓰는 여자의 행보는 이들과 달랐다. 그녀는 오랜만에 학교로 복학했다. 삼 년 전 C대학의 재료과에 진학했었는데 입학 직후 바로 데뷔하면서 휴학을 한 터라 학교를 다닌 일수로만 따지면 16학번 신입생들과 다를 바 없었다. 그래서 15학번 남자 후배들이 여자에게 자주 실수를 했다.

"궁금하거나 어려운 일 있으면 오빠한테 얘기해. 다 도와줄 테니까."

"예, 고맙습니다. 근데 오빠는 아니신 것 같은데. 저는 14학번이라……."

아무도 자신을 아이니의 멤버라고 알아봐 주지 않는 게 야속하긴 했지만 이를 제외하면 여자의 늦은 대학 생활은 그리 외롭고 힘들지 않았다. 여학생이 희귀했던 재료과에서 비록 무명이었지만 걸 그룹에 뽑힐 정도의 미모를 가졌던 여자는 인기가 좋았다. 많은 남학생들이 그 녀와 함께 차를 마시거나 식사를 하는 걸 바랐고 실습이나 과제를 함께하는 걸 주저하지 않았다. 모임이나 술자리에도 자주 불러내는 탓에 여자는 정말 소외감 따위를 느낄 겨를이 없었다.

하지만 여자는 이들의 호의와 환대가 반갑지 않았다. 대부분 자신에게 추파를 던지기 위한 수단에 불과했기 때문이었다. 여자는 점점 학과 남학생들을 멀리하며 스스로 외로워지기 시작했다. 강의가 없는 날은 아예 캠퍼스에 얼씬거리지 않았으며 강의가 있는 날에도 강의가 끝나면 곧장 사라져 버렸다. 공강 시간에는 아무도 찾지 않는 외딴곳에서 홀로 모바일 게임을 하면서 시간을 보냈다. 특히 'Knight & Magician'이라는 게임을 즐겨했다.

매년 푸르른 녹음이 캠퍼스를 물들이기 시작하면 일 년 중 가장 큰 대학 행사인 축제가 펼쳐졌다. 예산 부족 때문인지 아님 기피해서인지는 몰라도 C대학은 초대 가수를 따로 부르지 않고 노래 경연 대회로 행사 프로그램을 대신했다. 대회는 학과별로 출전이 가능했는데 1등에게는 무려 오백만 원의 학과 지원금이 주어지는 탓에 많은 학과들이 이를 노리고 우후죽순으로 참가했다. 여자가 속한 재료과라고 예외는 아니었다.

다만 올해 재료과 학생회장은 반드시 1등을 차지하고자 발상의 전환을 했다.

"우리 과 여학생으로만 팀을 꾸려서 내보내자고?"

"그래. 우리 대학이 공대 위주라 그동안 참가 팀들이 전부 보이 그룹을 흉내 냈잖아? 근데 우리 과는 걸 그룹을 한다고 해봐. 객석과 심사위원의 반응이 어떻겠어?"

학생회 임원들은 모두 회장의 생각에 동의하며 크게 고개를 끄덕거렸다.

"근데 어떤 걸 그룹 노래를 부르게 할 거야?"

"요새 대세는 트와이스의 'Cheer Up'이지."

"그럼 아홉 명을 꾸려야 하는데 인원을 채울 수 있을까?"

"올해 신입생이 일곱, 15학번이 다섯, 14학번이 넷. 음, 충분히 채울 수 있을 것 같은데."

"야, 마스크는 안 따지냐? 안영미, 박나래 같은 애들을 트와이스라고 뺑칠 순 없잖아."

"그건 그러네."

남자로만 구성된 재료과 학생회 임원들의 말과 생각들이 전부 요 모양들이었다. 이들은 일사천리로 얼굴이 반반한 학과 여학생들을 트와이스로 퍼포먼스 시킬 멤버로 영입했다. 선배의 은근한 강압과 집요한 설득, 학과 발전이라는 명분 앞에 재료과 여학생들은 5월 마지막 주 수요일에 펼쳐질 야외무대에서 수많은 C대학 학생들의 구경거리가 되는 데 동의하고 말았다.

당연히 여자도 포섭의 대상이었다. 어떻게 귀신같이 알았는지, 혼자 매점 뒤편의 창고에 숨어 모바일 게임을 즐기던 그녀에게 남자 선배들이 우르르 다가가 무대에 오를 것을 종용했다. 여자는 다른 여학생들과 달리 구경거리로 전락하는 게 싫어 거절하지 않았다. 아마 아이니가 잘나가는 걸 그룹이었다면 지금쯤 자신은 C대학보다 더 큰 무대에서, 더 많은 사람들의 구경거리가 되어 있었을 터였다. 그게 자신의 역할이자 또한 바람이었다.

하지만 명색이 자신은 트와이스보다 먼저 데뷔한 가요계의 선배였다. 비록 무명이라고 하더라도 후배 가수들의 노래와 안무를 따라 하는 건 자존심이 허락지 않았다.

"저번에 개강총회에서 보니까 노래도 잘하고 춤도 잘 추던데. 게다가 우리 과 여학생 중에서는 제일 예쁘니까 네가 센터로 들어가서……."

"그래도 싫어요. 다른 사람 알아보세요."

"다른 애들도 다 한다고 했는데 너만 뭔데 그리 튕기고 앉았어. 그런다고 다 매력이고 값어치가 올라가는 줄 알아? 학과의 발전을 위해 다들 자기 한몸 던지는데 넌 왜 그리 도도해?"

회장이 속이 울컥거릴 정도로 여자를 나무라고 비아냥거렸지만, 그녀는 꿈쩍하지 않았다. 여자를 채워 아홉 명과 센터를 완성하려 했던 회장은 계산이 어긋나자 얼굴을 잔뜩 구기며 그저 쓴 입맛을 다셔야 했다.

결국 재료과는 트와이스 완전체를 이루지 못하고 무대에 올라가 공연했을까? 그건 아니었다. 여자는 센터에서 가창력과 안무를 뽐내며 가장 돋보였고, 객석을 가득 메운 남학생들과 심사위원석에 자리한 남자 교수들을 매혹했다. 조명을 받아 더욱 빛나는 그녀의 외모와 과감하게 드러낸 어깨와 허벅지도 크게 한몫했다. 아마 여자가 아이니라는 이름으로 숱한 공개 방송과 지방 행사 무대에 올랐을 때보다 더 큰 반응이었을 것이다. 근데 여자는 대체 어찌 된 영문으로 기꺼이 트와이스가 되었던 것일까?

"언니, 그룹 해체될지도 모른대. 가뜩이나 회사 사정도 어려운데 혜령이 스폰서 사건도 터졌잖아. 그래서 대표가 없애기로 맘먹었나 봐. 다시 카메라 앞에서 노래 부를 희망으로 할리스 알바하면서 버텼는데 이제 어떡해?"

수화기 너머로 들리는 동료 멤버의 울먹이는 목소리는 여자의 마음을 심란하게 만들기에 충분했다. 그로 인해 평소에는 잘만 레벨 업 하던 'Knight & Magician'도 툭하면 게임 오버를 당했다. 멤버가 전해 준 해체 통보가 그녀에게는 핸드폰 액정 화면 속 계속 점멸거리는 'You Died' 메시지와 같았다.

'내가 뭇 남성들의 눈요기가 되는 날도 이제 없겠구나!'

많은 사람의 구경거리가 되는 것이 자신의 역할이자 또한 바람이었다. 이제 그걸 실현시킬 수 있는 무대는 중

앙 운동장에 마련된 야외무대뿐이었다. 갑자기 이런 생각이 든 여자는 방향을 돌려 한창 노래 경연 대회가 펼쳐지고 있는 그곳으로 달려갔다. 가요계 선배로서의 자존심, 명색이 나도 똑같은 걸 그룹 멤버인데 어째서 알아주지 않냐는 야속함 따위는 저 멀리 사라진 후였다.

5월의 이른 어느 저녁, 그녀가 죽어라 달렸던 C대학의 교정에는 평소보다 짙은 어둠이 내려앉아 있었다.

심사

조교는 여자의 책상에다 A4용지로 탑을 쌓아 놓았다. 그 묵직한 볼륨감에 여자는 숨이 턱 막힐 지경이었다.

"이 작가는 심사가 처음이라 조금만 배분했어."

심사위원장의 친절한 배려에도 불구하고 그녀가 읽어야 할 작품 수는 이백여 편이 넘었다. 참가자들이 보통 예닐곱 장 정도 작성했으니 계산하면 무려 천 페이지가 넘는 분량이었다.

"이걸 오늘 중으로 다 심사한다고요? 가능한가요?"

"그럼. 예년보다 오히려 줄어들었는걸. 얼른 끝내고 이따 다른 위원들하고 같이 저녁이나 들자고. 괜찮은 곳으로 예약해 뒀으니."

여자는 고개를 끄덕거렸지만, 자신이 없었다. 고작 서너 시간을 주고는 이백여 편 중에서 본심에 올릴 다섯 작품을 추리라니. 계산하긴 싫었지만 한 작품을 읽는 데 고작 2분이 주어질 뿐이었다.

그녀는 며칠 전 E대학의 국문과에 교수로 재직 중인 선배의 연락을 받았다. 그는 학창 시절에 탤런트 지성을 닮은 외모와 교내 문학상을 휩쓸었던 화려한 경력, 여기에 여심을 녹이는 말재주로 많은 여학생들의 흠모를 한 몸에 받았었다. 여자는 이러한 여학생들의 무리에 속하지 않았다. 선배의 행동거지가 전부 허세처럼 보였기 때문이다.

아닌 게 아니라 그는 졸업하고 난 뒤, 변변한 대표작 하나 없는 그저 그런 작가로 남았다. 자신의 깜냥을 알았던 선배도 소설 대신 소논문을 쓰는 것으로 방향을 선회하며 실적을 쌓아 나갔다. 찍어 냈다는 표현이 적절할 정도로 그는 일 년에 무려 열 편의 소논문을 만들어 냈다. 이를 바탕으로 그는 연구 실적에서 높은 점수를 얻어 작년에 교수로 임용되었다.

선배는 매년 학과에서 주관하는 고교 백일장의 담당자가 되자 여자를 심사위원으로 섭외했다. 여자와 친분이 두터워서 그랬던 건 아니었다. 그도 처음에는 이름 있는 작가들을 섭외하고 싶어 했다. 그렇지만 이들은 심사료도 적은 데다 지방에 위치해 왔다 갔다 하기가 귀찮다는 본심을 절묘하게 숨기며 시간을 내기 어렵다는 이유로 거절했다. 그러다 보니 신춘문예 등단 경력에 얼마 전에는 소설집을 출간했으며 자신의 후배인 까닭에 왠지모르게 만만히 보였던 여자에게 연락을 취했던 것이었다.

돈 한 푼이 아쉬운 가난한 소설가였던 여자는 선뜻그의 섭외에 응했다. 여기에 더해 심사를 보면서 요즘 어린 소설가 지망생들은 어떠한 사고와 가치관을 따르고있는지도 살펴보고 싶었다. 하지만 작품당 2분도 안 되는 시간으로는 아무리 생각해도 그러기 어려웠다.

여자가 끙끙대자 선배가 답답하다는 표정을 지으며다가왔다.

"뭘 그리 고민해? 분량을 지키지 않은 것하고 맞춤법엉망인 것만 제외해도 일단 반으로 줄 텐데. 그다음에 허무맹랑한 내용을 적었거나 대사발로만 쓴 녀석들 빼면또 반으로 줄걸?"

"그래도 오십 편쯤 되는데요?"

"나머지는 첫 장만 읽어 보면 느낌 오잖아? 왜? 오십 장 읽는 것도 버거워?"

여자는 선배의 말이 일견 그럴듯해 보여도 뭔가 적절치 못하다는 생각이 들었다. 분량과 맞춤법 규정을 지키지 못했어도 뛰어난 문체와 필력을 자랑할 수도 있지 않은가? 비록 첫 장은 엉망이었어도 중후반부에 촌철살인의 메시지나 주제 의식이 담긴 문장이나 대사들을 마구 쏟아낼 수도 있지 않은가? 선배의 충고는 옥석을 가려내기보다는 그저 심사를 봤다는 시늉만 하려는 것처럼만 보였다.

'그따위로 할 거면 심사는 왜 하는 거야? 난 절대 그리하지 않을 거야.'

여자는 선배의 충고를 무시하고 하나하나 꼼꼼히 읽어 보며 최대한 공정하게 심사하고자 노력했다. 그러다 보니 심사 시간은 줄어드는데 A4용지로 만들어진 탑은 낮아질 기미가 보이지 않았다. 눈은 뻑뻑했으며 고개가 아파 목을 자주 뒤로 젖히며 풀어 줘야만 했다.

슬슬 짜증도 밀려왔다. 심사료 이십만 원에 이백여 편이 넘는 학생들의 작품을 읽는다는 게 고역으로 다가왔다. 게다가 다른 위원들은 언제 다 끝냈는지 삼삼오오 모여 낄낄거리며 수다를 떠는 통에 자신만 혼자 미련한 짓거리를 하고 있다는 자괴감마저 들었다.

'나도 모르겠다. 신춘문예도 아니고 고딩들 백일장인데 뭐.'

결국 여자는 그토록 경멸하던 선배의 충고를 어느새 착실히 따랐다. 그렇게 진행하다 보니 다른 위원들처럼 심사를 마치고도 오히려 시간이 남아돌았다. 그녀는 본심에 올릴 다섯 편을 위원장에게 건네고는 예약한 식당의 메뉴를 고르는 잡담에 동참했다.

오히려 심사 후의 회식 자리에서 위원들의 심사평들이 오가는 유익한 시간이 전개되었다.

"그래, 선별한 작품들 중에서 괜찮았던 게 보이던가요?"

위원들은 인상 깊었던 작품을 두어 편 끄집어내 자신이 이를 본심에 올린 이유를 설명했다. 들어 보면 한두 시간 만에 뚝딱 해치운 것치고는 꽤나 그럴듯한 심사평들이었다. 여자 역시 선배의 감정 방법에 따라 졸속으로 평가했지만 그럼에도 불구하고 살아남은 것들 중에서 자신의 주관과 평가 기준을 내세워 주목해야 할 작품들을 언급했다. 좌중은 모두 동의한다는 듯 고개를 끄덕거렸다.

선배가 능글맞은 웃음을 지으며 위원장에게 말을 붙였다.

"저기… 작가님. 아까 제가 얘기했던 이○○ 학생 작품 눈여겨보셨나요?"

"아, 그 학생? 근데 전혀 글을 안 써본 친구 같던데요. 스토리가 부실한 건 그렇다 치더라도 대사랑 문장이 너무 형편없었어요. 그래서 탈락시켰는데."

"그래도 다시 한번 꼼꼼히 봐주십시오. 실은… 재단 이사장님 조카 되는 녀석입니다."

위원장은 곤란하다는 듯 표정을 일그러뜨리며 연신 헛기침을 남발했다.

"어허, 그것참. 그래도 작품이 엉망인데……. 나중에 이걸로 말들이 많아지면……."

"저희 학과에 입학할 조건만 갖추면 되니까 대상까지도 필요 없습니다. 본심에 올려 동상 정도만 받으면……."

"그래요? 어허, 어쩐다. 알겠습니다. 다른 위원들과 상의해 보지요."

위원장은 곧장 위원들을 불러 모아 선배가 언급했던 학생의 작품을 본심에 올리자고 건의했다. 무슨 이유에서인지 다들 이의를 제기하지 않고 순순히 동의했다. 여자는 이게 모두 선배가 눈에서 보이지 않게 발사하는 레이저 때문이라고 확신했다.

"그럼 누구 하나를 본심에서 떨어뜨리죠?"

위원들은 2차 장소로 가기 전 잠깐의 토론 끝에 여자가 골랐던 작품 중에서 하나를 배제하기로 결정했다. 주어진 시제를 기발한 상상력으로 포장해 작품의 메시지에 재미까지 곁들여 전달한 수작이었다. 위원들의 처사에 분한 마음이 들었던 여자는 이를 종용한 선배에게 가서 거칠게 항의했다.

"응당 본심에 올라야 할 애가 왜 떨어지냐고요? 나중에 이 학생이 자신은 왜 떨어진 거냐고 따지면 어쩌실 거예요?"

"아, 진짜. 아무리 심사가 처음이라고 해도 답답하네. 내용이 너무 허무맹랑했다, 이런 식으로 사유야 만들면 되지, 뭘 걱정해."

여자에게 잔뜩 화를 낸 선배였으나, 다른 위원들 앞에서는 언제 그랬냐는 듯 웃는 낯으로 표정이 돌변했다. 그는 이들을 데리고 의기양양하게 2차를 가지기로 한 장소로 향했다. 왠지 모를 허탈감이 밀려온 여자는 이들을 따라가지 않고 그대로 방향을 돌렸다.

좀비

　남자는 오늘도 일찍 집에 들어가기 싫었다. 가봐야 좁은 방 안에서 하루 종일 웅크리고 앉아 있던 옅은 어둠만이 자신을 반길 게 뻔했기 때문이다. 그러나 실은 이건 남자의 얕은 핑계였다. 작년에 독립한 이후, 고시원 쪽방에 들어서면 언제나 그를 맞이했던 건 늘 퀴퀴한 냄새를 머금은 어둠이었다. 그러므로 남자가 집에 들어가기 싫었던 진정한 이유는… 그냥, 그냥이었다.

　남자에게 연인이라도 있었다면 당장 그녀를 불러내 오붓한 시간을 가졌을 터였다. 그러나 여러 개의 알바를 전전하며 방값과 식비를 해결하는 데 급급한 남자에게 연인과의 데이트는 사치였다. 그리고 그런 형편의 남자를 좋아할 여성이 있을 리도 만무했다.

　친구들도 한가롭게 남자와 놀아줄 처지가 못 되었다.

직장과 가정을 가진 친구들은 상사와 아내의 잔소리 포화 속에서 샐러리맨의 의무와 가장의 의무를 다하고자 고군분투 중이었다. 그렇지 못한 녀석들은 시간적인 여유에 비해 정신적이고 경제적인 여유가 반비례했다. 따라서 술 한잔 같이 먹자는 전화를 걸어 봐야 돌아오는 건 공허한 침묵이나 냉랭한 거절이 전부였다. 남자는 작년 이맘때 이걸 뼈저리게 느꼈다. 집으로 인사를 드리러 오는 예비 제수씨와 마주치기 싫어서 남자는 핸드폰 연락처를 뒤적거리며 자신과 함께 밤을 보낼 친구들을 물색했었다. 그렇지만 그 시도는 처참하게 실패했다. 남자는 이런 자신이 슬프거나 한심스럽지 않았다. 이 사회에서 자신과 비슷한 처지의 동지들은 많았기에……

그는 핸드폰을 꺼내 시간을 확인했다. 이제 고작 일곱 시를 넘겼을 뿐이었다. 매주 수요일과 목요일에 챙겨 보는 TV 드라마 방영 시각도 아직 두 시간이 넘게 남아 있었다.

"아, 이 긴긴밤을 어찌 보내나."

작년에 그만둔 편의점 알바를 하면서 붙은 남자의 말버릇이었다. 그는 요긴하게 시간을 때울 방법을 골몰히 생각하며 터덜터덜 고시원으로 난 길을 걸었다.

상수도 보수 공사로 인해 이번 달 말까지 통행을 제한합니다.

불편을 끼쳐드려 대단히 죄송합니다.

아침까진 보이지 않았던 공사 표지판이 남자가 가는 길을 가로막았다. 그는 다른 보행자들과 달리 전혀 짜증을 부리지 않았다. 이 길이 아니라 빙 돌아가면 십여 분 정도가 더 소요되었지만, 남자에겐 오히려 적절하게 시간을 죽일 수 있는 상황이 벌어진 셈이었다. 그래서 그는 표지판이 안내해 준 우회로로 쿨하게 방향을 틀었다.

우회로는 평소 걷던 길보다 좀 더 밝고 세련되었다. 신축 건물들이 많이 들어섰고 이를 따라 쭉 늘어선 LED 가로등이 거리를 비춰 주었던 까닭이었다. 덕분에 남자는 건물과 그곳에 입점한 가게들을 구경하면서 집으로 가는 시간을 더 허비할 수 있었다.

그러다 남자는 마침내 드라마 방영 시간까지 시간을 죽일 수 있는 기막힌 곳을 발견했다. 바로 아케이드 게임기에 코인 노래방과 사격장까지 들여놓은 오락실이었다. 노래와 사격에는 서툴렀지만, 왕년에 오락실에서 좀 놀았던 경험이 있던 남자는 반가운 표정으로 아케이드 게임기가 잔뜩 놓인 2층 오락실을 두리번거렸다. 아직 오픈된 지 얼마 되지 않은 오락실의 게임기들은 마치 사이렌처럼 요란한 효과음으로 남자가 자신을 플레이해 주기를 유혹했다.

남자에게 간택된 건 '좀비 시티 4'였다. 게임기에 매달린 전자총으로 화면에 출몰하는 좀비들을 쏴서 쓰러뜨리는 흔한 건슈팅 게임이었다. 남자는 대학 학창 시절에 전작인 '좀비 시티 3'를 자주 원 코인으로 클리어하곤 했다. 난도가 지나치게 높기로 악명 높은 게임이었던 만큼 남자의 원 코인 클리어 플레이는 오락실에 들른 손님들의 주목을 끌기에 충분했다.

그게 벌써 오 년 전의 일이었다. 그때는 졸업만 하면 당장 어디든 취업해 부모님을 흡족하게 할 연봉을 받고 이를 기반으로 결혼 자금도 모아 이맘때쯤이면 알콩달콩 가정을 꾸려 나갈 거라는 부푼 꿈으로 가득했다. 그러나 남자는 오 년이라는 세월 동안 정체된, 아니 오히려 퇴보한 반면에 '좀비 시티 4'는 더욱 화려한 그래픽과 사운드로 무장해 손님들의 동전을 털어 갈 만반의 준비를 갖추었다.

남자는 잠시 옛일을 상기하다가 이내 떨리는 손으로 오백 원을 게임기의 동전 투입구에 밀어 넣었다. 그러자 현실감 넘치게 묘사된 좀비들이 전방의 남자를 공격하고자 우르르 몰려왔다. 전작에 비해 좀비들이 민첩해져서 이들을 모두 쓰러뜨리려면 더욱 빠른 슈팅 속도와 날렵한 회피를 요구했다.

이에 적응하지 못한 남자는 금방 생명치를 깎아 먹다가 허무하게 게임 오버를 당했다. 하지만 전작과 그리 차이를 보이지 않는 플레이 방식에 남자는 금세 적응하면서 과거의 화려했던 실력을 다시 유감없이 발휘하기 시작했다. 물론 아직 원 코인 클리어에는 미치지 못했지만, 남자는 격파하는 스테이지 수를 점차 늘려 나갔다. 그렇게 남자가 화면 속의 좀비들을 죽일수록 그가 감당하지 못했던 시간들도 빠르게 죽어 나갔다. 이제 드라마 방영 시간까지는 채 이십여 분도 남지 않았다. 그런데도 어느새 게임에 몰입한 남자는 아직도 오락실을 벗어날 생각을 하지 않았다.

　드디어 남자는 마지막 스테이지에 이르렀다. 주위에 이를 지켜보는 이들이 없다는 게 안타깝게 느껴질 정도로 남자는 자신의 플레이에 흡족해하며 최종 보스가 기다리는 방으로 들어섰다.

　흉측하고 우람했던 이전 스테이지의 보스들과 달리 최종 보스는 인간과 다를 바 없었다. 피부가 썩었거나 뼈가 드러나지도 않았으며 산발 머리에 누더기 옷을 걸치지도 않았고 흐느적거리는 걸음도 아니었다. 최종 보스는 인간의 언어까지 구사하며 남자를 향해 똑바로 그리고 천천히 다가왔다. 남자는 그를 없애고자 마구 총을 난사했다.

　그러나 최종 보스가 상반신까지 클로즈업될 정도로 근접하자 남자는 그만 이를 멈췄다. 화면 속의 좀비가 자신과 다를 바 없는 외양을 하고 있었기 때문이었다. 비슷한 키와 체구를 갖췄으며 안경잡이에 날카로운 턱선마저 비슷했다. 게다가 옷차림마저 얇은 점퍼에 청바지여서 마치 남자를 모델로 삼아 구현했다고 해도 믿을 정도였다.

하지만 가장 닮았던 건 표정과 행동이었다. 보스의 흐리멍덩한 눈빛에 창백한 얼굴색, 무덤덤한 표정과 힘없는 걸음은 오락실을 들어서기 전의 남자와 다를 바 없었다. 보스는 플레이어와 조우하기 전까지 방 안을 이리저리 배회했는데 그 역시 집으로 향하던 남자의 또 다른 모습이었다.

남자는 결국 남은 생명치를 최종 보스에게 물어 뜯겨 전부 소비하면서 비참한 게임 오버를 맞았다. 좀 전까지 게임 실력을 되찾았다고 우쭐거렸던 그의 기분은 온데간데없이 사라지고 남자는 다시 쓸쓸함을 가득 안고 오락실을 나섰다.

집으로 가는 발걸음은 오락실을 들르기 전보다 더욱 무거웠다. 비단 가파른 경사길이 놓여 있었기 때문만은 아니었다. 그는 이제 서두르지 않으면 드라마의 본방 사수가 위태로울 정도로 시간이 촉박했음에도 걸음을 재촉하지 않았다. 역시 경사로 인한 것은 아니었다.

이때 전방에서 무언가가 그에게 천천히 다가왔다. 그건 마치 거울로 비춘 것처럼 자신의 모습을 그대로 카피한 어떤 사내였다. 그는 퍼렇고 묵직한 전자총으로 자신을 향해 마구 전자파를 발사했다. 이를 고스란히 맞은 남자는 무언가 날카로운 것이 날아와서 온몸에 박히는 따끔거림을 느꼈다.

그럼에도 불구하고 남자는 쓰러지지 않고 천천히 자신에게 난사를 가하는 사내에게 다가갔다. 그리고 코앞까지 이르러 그를 마구 물어뜯었다.

리빌딩

리빌딩(Re-building)은 원래 '재건축'이라는 뜻의 건축 용어였다. 이게 프로 야구로 흘러들어 가 하위권을 전전하는 팀들이 팬들에게 둘러대는 변명거리가 되었다. '새로운 선수와 코칭 스태프로 물갈이를 하여 팀의 체질을 강화하겠습니다. 그래서 3~4년 내에 반드시 우승하도록 하겠습니다.' 리빌딩이 성공을 거둔 사례도 많았으나 그 반대 역시 만만치 않았다. 특히 이 경우에는 성적과 팀워크, 팬들의 사랑까지 모든 걸 한꺼번에 잃고 길고 긴 암흑기로 진입하는 경우가 허다했다.

남자가 응원하던 프로 야구단 D팀은 시즌 중반부터 리빌딩을 선언했다. 스토브 리그 기간에 대거 값비싼 FA 선수들을 영입하며 우승을 천명했던 시즌 초와는 딴판이라 팬들은 당황했다. 이들은 실망과 분노 사이를 오가며 갑론을박을 펼쳤다.

"에이, 아무리 연패에 빠졌다고 해도 시즌이 절반이나 남았는데 벌써 접다니 말이 돼? 비싼 돈 들여 사들인 선수들은 어떡할 거야?"

"부상 선수들도 돌아오고 취약한 포지션은 트레이드로 메우면 금방 전력이 상승할 텐데."

"선수들이 근성이 없어서 그래. 이기겠다는 마음으로 죽어라 덤벼 봐. 그따위 성적을 유지하겠어?"

"팬들에게 미안하지도 않나? 이건 올해 바닥을 헤매겠다는 고백 아냐?"

팬들이 그러거나 말거나 D팀의 구단 수뇌부와 코칭스태프들은 팬들의 사랑을 받던 주축 선수들을 대거 트레이드했다. 대신 상대로부터 유망주들을 여럿 받았다. 몇 년 후에는 프로 야구를 뒤흔들 실력을 갖춘 선수로 성장할 것임을 팬들도 인정했지만 아직은 인지도와 실력이 낮은 무명 선수들에 불과했다. 연패는 길어졌고 팬들은 하나둘 관중석과 TV 앞을 떠났다. 남자는 아직 자리를 지켰지만, 언제까지 버틸 수 있을지 장담할 수 없었다.

　남자는 명예퇴직을 하고 나서 집 근처의 주택가에 편의점을 차렸다. 그는 이전까지는 JU전자에서 부장 직함까지 달았던 고액 연봉의 샐러리맨이었다. 아내는 동창회 모임만 나가면 남편 자랑을 하며 목에 힘을 잔뜩 주었다. 그게 작년 초로 허무하게 끝을 맺었다. JU전자가 정부의 공적 자금을 지원받을 정도로 어려워지자 회사 측에서 명예퇴직을 통한 구조 조정을 단행했던 것이었다.

　"여보, 어떻게든 버텨야 해. 애들 대학교까지는 보내야지. 걔네들한테 들어가는 학원비가 얼만 줄 알지?"

　남자는 아내에게 반드시 그러겠노라고 다짐했다. 자식들 교육비 때문만이 아니더라도 이십 년을 몸 바쳐 일했던 곳을 신청서 한 장 달랑 쓰고 허무하게 떠나고 싶진 않았다. 하지만 회사는 자신들이 마련한 블랙리스트 명단에 오른 남자를 순순히 내버려 두지 않았다. 출퇴근하는 데만 도로에서 서너 시간을 소비해야 하는 먼 공장에다 이들을 한데 모아 놓고 재교육을 시킨답시고 남자의 진을 빼게 만들었다.

"여보, 미안해. 아무래도 여기까진 것 같아."

남자는 결국 회사에 백기 투항을 하고 퇴직 신청서를 작성했다. 이십 년을 일한 가치를 적절히 반영해 준 것인지는 모르겠지만 회사는 두둑한 퇴직금을 쥐여 주며 남자를 위로하려 했다. 하지만 그에겐 그 모든 게 '악어의 눈물'처럼 보였다.

남자는 다른 퇴직자들과 비슷한 길을 걸었다. 한 번도 해보지 않았던 장사를 시작한 것이다. 다만 치킨집이나 식당을 차린 퇴직 동기들과 달리 그는 편의점을 택했다. 매달 3~4백만 원 정도의 수입을 거둘 수 있다는 본사의 말을 철석같이 믿은 탓이 컸다. JU전자 부장 시절만은 못해도 그 정도면 계속 가장으로 인정받을 경제력이 될 것이라 여겼다. 남자는 퇴직금의 전부를 편의점 창업에 쏟아 부었다.

본사가 남자에게 새빨간 거짓말을 했음은 금방 드러났다. 임대료와 각종 공과금, 아르바이트생 인건비와 본사에 지불해야 하는 대금을 제하고 나면 그의 수중에 남는 돈은 본사가 말한 수익의 몇 분의 일에 불과했다. 이래 가지곤 애들 교육비는 차치하고서라도 다달이 들어가는 생활비도 감당이 되지 않았다.

고작 몇 개월 만에 남자는 빚을 지게 되었다. 이게 눈덩이처럼 불어나 이것만 생각하면 밤에 자다가도 벌떡 일어날 정도였다. 그는 조심스레 편의점을 폐점하는 걸 염두에 두었다. 이대로 가다간 밑 빠진 독에 물 붓기라는 건 누가 봐도 자명했다. 그런데 아내와 본사가 이를 적극적으로 말렸다.

"아무리 적자가 심하다고 개점한 지 일 년도 안 됐는데 벌써 접는다는 게 말이 돼? 그럼 편의점에 쏟아부은 퇴직금은 어떡할 거야?"

"지금 경기가 안 좋아서 그렇습니다. 경기가 회복되고 위축된 소비 심리가 풀리면 금방 수익이 상승할 텐데요."

"당신, 근성이 없어서 그래. 가족을 생각해서 죽어라 매달려 봐. 그럼 그따위 매출을 유지하겠어?"

"점장님, 가족들에게 미안하지도 않습니까? 이대로 폐점하시면 당장 실직자가 되시는 건데, 이는 무능한 가장이라는 고백밖에 더 됩니까?"

이들의 반대에 남자는 이러지도 저러지도 못하는 나

날이 계속되었다. 그는 답답한 마음에 야구장으로 향했다. 예전에도 관중석에 앉아 무알코올 맥주를 들이켜며 목청 높여 응원하고 있노라면 응어리진 마음이 다소나마 풀렸던 좋은 경험을 떠올렸다. 때마침 자신이 응원하는 D팀이 서울로 원정을 오는 날이기도 했다.

남자는 3루 측 관중석에 자리를 잡고 경기를 관람했다. 순위가 곤두박질치면서 팬들은 많이 사라졌지만, 아직도 골수팬들은 미련을 떨치지 못하고 떠나간 옛 애인을 멀리서 바라보는 심정으로 응원을 펼쳤다. 남자도 이들과 함께했다.

하지만 이들의 함성은 이내 사그라졌다. 아직 5회가 지나지 않았는데도 상대에게 무려 10점 이상을 헌납하며 패색이 짙어지자 동행한 이들과 잡담을 나누거나 들고 온 음식을 들며 태세를 전환했던 까닭이었다. 아예 경기장을 나가 버리는 이들도 있었다. 화끈한 경기를 감상하며 자신의 꽉 막힌 속을 풀려고 했던 남자도 오히려 잡념만 머릿속에 가득 찰 뿐이었다.

"팔아 치우지 말고 끝까지 한번 가보지. 그럼 반등했을 수도 있잖아."

"아니, 희망 고문이었을 수도 있지. 실망시킬 거면 하루라도 빨리 시키는 게 나았을 수도 있어."

"암만해도 올해는 기대를 접어야겠어. 아니, 아예 바꿔야겠어."

"에이, 못난 놈……."

관중들의 수군거림은 분명 지금 그라운드에서 무기력한 플레이를 펼치는 D팀을 향한 것이었다. 그렇지만 남자는 마치 자신에 대한 질책처럼 들려 귀를 틀어막고 싶은 심정이었다.

문화 센터

여자의 하나뿐인 아들은 엄마를 자랑스러워했다.

"친구 엄마들 중에서 엄마가 제일 젊고 예뻐."

이제 갓 초등학교에 올라간 아들은 아직 거짓말을 할
줄 몰랐다. 아닌 게 아니라 지난번 학부모 간담회에서 여
자는 어머니들 사이에서 비주얼로는 단연 군계일학이었
다. 이제 겨우 서른을 넘긴 파릇파릇한 여자에 비해 다른
어머니들은 희끗희끗 흰머리가 보일 정도로 연로했다.

"나도 십 년만 젊었더라면 윤수 엄마 뺨쳤을 텐데."

엄밀히 말하면 그들이 늙었던 게 아니라 여자가 지나
치게 젊었다. 그녀는 대학교 3학년 때 지금의 남편을 만
나서 지금의 아들을 가졌다. 아직 아내와 엄마 노릇을 할
생각과 자신이 없었던 여자는 결혼을 망설였다. 하지만
장래가 촉망받던 지방 법원의 검사였던 남편의 청혼을

그녀는 거부할 수 없었다. 아니, 그보다 여자의 부모님이 그러질 못했다.

"여자 팔자는 뒤웅박 팔자라는 말도 있잖니. 자고로 여자는 좋은 남자 만나는 게 최고의 가치란다."

여자는 부모님이 말씀하시는 좋은 남자의 정의가 무엇인지 어렴풋했다. 그러나 적어도 검사 애인이 이에 부합한다는 사실은 알게 되었다. 부모의 말을 착실하게 듣는 효녀는 아니었으나 그가 싫지만은 않았기에 여자는 결혼을 결심했다. 여자의 모든 지인이 식장에서 그녀의 결혼을 축하했다. 유일하게 그렇지 않은 이는 여자의 지도 교수였다.

"장차 한국 문단을 뒤흔들 훌륭한 소설가가 될 재목이었는데."

"결혼해서도 열심히 쓸게요. 믿어 주세요, 교수님."

여자는 이 약속을 지키지 못했다. 남편은 여자에게 남들이 부러워하는 검사 사모님이란 호칭을 주었으나 대신 홀로 가사와 육아를 책임져야 하는 애 엄마로 만들었다. 시부모들은 시집살이를 시키진 않았지만, 여자가 가정을 돌보는 것 이외의 일들은 탐탁해하지 않았다.

"윤수와 윤수 아빠에게 충실한 며느리를 원하지, 소설가 며느리는 필요 없다. 더구나 네가 그딴 거 안 하더라도 먹고살 만하지 않니?"

여자는 소설을 쓰는 걸 딴짓이나 돈벌이로 여기는 시부모를 설득할 자신이 없었다. 그렇게 C대학 문창과에서 촉망받는 소설가 지망생으로 명성을 날렸던 여자는 아들 친구의 엄마들 중에서, 남편의 동료 검사 와이프들 중에서 그저 젊음과 미모를 자랑하는 여자가 되었다.

여자가 꾸준히 참석하는 어머니들의 정기 모임이 있던 날이었다. 이 모임은 남편의 재력이 상당하거나 직업이 '사'자 돌림이어야만 가입이 가능한 고급 사교 모임이었다. 거기서 이들은 자식들의 학업과 진로에 대해 진지한 고민을 나눴다. 실은 그래 봐야 아빠의 부와 지식을 대물림시키는 데 도움이 될 만한 명문 학교에 진학시킬 정보를 나누는 것에 불과했지만……. 어느 학원이 좋고 어떤 과외 선생이 훌륭한지가 자주 수다거리에 올랐다. 여자는 이들과의 만남이 썩 유쾌하진 않았다. 하지만 남편과 시부모에게 자식 교육에 신경 쓰는 엄마로 비춰 보이고자 꾹 참고 나갔다.

이날도 여자는 어머니들의 수다에 끼지 못하고 홀로 딴짓을 일삼았다. 그러다 우연히 건너편 테이블에서 낯익은 얼굴을 발견했다. 학창 시절과 다름없이 굵은 뿔테 안경에 질끈 묶은 머리, 헐렁한 티셔츠와 청바지 차림으로 무장한 문창과 여자 동기였다. 그녀는 인상을 잔뜩 찌푸리고는 무에 그리 화난 사람처럼 자신의 낡은 노트북 키보드를 거칠게 두들겼다. 영락없이 글발이 잘 서지 않는 소설을 쓸 때면 동기가 보이던 행동이라 여자는 마치 과거로 타임슬립을 한 듯 그녀의 모습들이 친근하고 반가웠다. 여자는 서둘러 모임을 파하고는 동기에게 다가갔다.

"안녕? 오랜만이야. 그동안 잘 지냈어?"

여기서 여자를 다시 만나게 될 줄은 꿈에도 몰랐던 동기는 어안이 벙벙한 표정으로 그녀를 맞이했다.

"어, 안녕. 여긴 어쩐 일이야?"

"학부모들 모임이 있어서. 그러는 넌?"

"근처에 볼일이 있는데 시간이 남아 여기서 소설 쓰고 있었지."

"우와, 너 아직도 소설 써?"

동기는 몇 년 전에 신춘문예로 등단했으며 꾸준히 청탁받아 여러 문예지에 기고했다는 사실을 밝혔다. 얼마 전에는 소설집도 출간했으며 여기서 그리 멀지 않은 백화점의 문화 센터에 출강 예정이라는 소식도 전했다.

"그럼 이제 소설가네. 축하해."

"소설가는 무슨… 글이나 끄적거리는 아줌마지. 결혼도 못 하고 폭삭 늙어 가는 아줌마."

동기는 자신의 처지를 폄하했지만 여자는 오히려 소설가다운 아우라를 풍기는 그녀가 내심 존경스럽고 부러웠다.

"소설이야 네가 훨씬 잘 썼는데. 난 한 번도 못 받아 본 지도 교수님의 칭찬을 넌 합평 때마다 받았잖아."

"그럼 뭐 해? 결국 소설가는 너잖아."

"난 이거 외에는 할 줄 아는 것도 없었고… 매력도 없었고… 그래서 예전에 시간 강사로 오셨던 젊은 소설가님이 그러셨잖아. 나 같은 년이 소설가가 된다고."

"넌 지금의 네 모습이 싫어?"

"아니. 꼭 그런 건 아닌데, 오늘 너 보니까 그런 생각이 드네. 나도 괜찮은 남자 만나서 살림이나 하며 소설은 문화 센터에 나가 취미 생활로 쓰는 삶이었으면 어땠을까?"

동기는 외롭고 적적한 자신과 달리 사랑하는 가족이 있으며 퍽퍽함이란 찾아볼 수 없이 부티 나고 여유로운 모습이 부럽다고 덧붙였다. 여자의 남편은 무뚝뚝했지만 착하고 성실했으며 아들은 살갑진 않았으나 한 번도 자신의 속을 썩인 적이 없었다. 그녀가 책임져야 하는 가사와 육아는 따분하고 공허했지만, 자신의 삶을 비관할 만큼 괴롭고 힘들지 않았다. 그러니 아무리 동기의 아우라가 탐이 났더라도 치열한 삶의 현장에서 비켜나 관조가 느껴지는 자신을 부러워하는 그녀에게 비할 바가 못 됐다.

그날 밤 여자는 꿈을 꿨다. 거기서 그녀는 결혼하기 직전의 대학생으로 돌아가 있었다. 지도 교수가 여자의 손을 붙잡고 안타까운 목소리로 애원했다.

"장차 한국 문단을 뒤흔들 훌륭한 소설가가 될 재목인데 이대로 포기할 거야?"

여자는 매정하게 교수의 손을 뿌리쳤다.

"저는 그것보단 젊고 예쁘다는 소리 듣는 엄마와 아

내가 되고 싶어요."

다음 날 여자는 집에서 멀지 않은 백화점에 자리한 문화 센터의 소설 창작 강좌를 신청했다. 동기가 출강 예정인 바로 그 강좌였다.

인터뷰

대한민국 취준생이라면 누구나 한 번쯤 입사하기를 꿈꿨던 기업 JU전자에 정부의 공적 자금이 투여되었다. 경기 불황의 여파로 누적된 적자를 감당하지 못한 게 원인이라고 경제 전문가들은 평했지만, 실상은 그렇지 않았다. JU그룹 회장의 장남과 막내딸이었던 사장과 부사장의 방만한 경영과 무리한 사업 투자가 회사를 그 지경으로까지 몰고 간 게 주원인이었다.

회사를 망친 주범들이었지만 사장과 부사장은 그저 순순히 자리에서 물러나는 것으로 책임을 다했다. 이것 역시 자발적이었던 것은 아니었고 공적 자금을 받는 대가였다. 무능한 대표 밑에서 성실히 근무했던 직원들만 애꿎은 피해를 입었다.

회사의 회생과 상생을 위해 명예퇴직 신청을 받습니다. 희망자들은 인사부를 방문하셔서 접수하시면 대단히 고맙겠습니다. 아쉬움과 미련이 남지 않도록 본사는 섭섭하지 않은 대우와 보상을 해줄 것을 약속드립니다. 죄송합니다.

게시판에 올라온 공고 문구만 보면 회사를 살리고자 기꺼이 희생을 감수하려는 직원들을 최대한 배려하겠다는 안타까움과 미안함이 가득 담겼다. 그러나 직원들 어느 누구도 이를 곧이곧대로 받아들이지 않았다. 사장과 부사장을 대신한 경영진이 JU그룹의 가장 큰 계열사인 JU전자를 살리는 데에만 오로지 목적을 두고 그룹에서 파견된 도긴개긴 같은 인물들이라는 걸 잘 알아서였다.

물론 공고를 접하고 신청서를 작성한 이들도 있었지만, 결코 상생을 위한 희생정신 따위가 아니었다. 다들 열심히 머릿속에서 주판알을 튕겨 본 결과들이었다. 회사의 악랄한 관행과 괴랄한 상사를 이기지 못해 이참에 떠난 이들도 상당수였다.

얼마 전부터 회사 내에서 흉흉한 소문이 나돌았다.

"회사가 블랙리스트를 작성해 거기에 오른 직원들을 마구 자른다던데?"

"뭐, 그게 정말이야?"

"지난번에 관둔 마케팅부 조 실장 말이야. 블랙리스트에 올라서 바로 잘렸잖아."

"나도 거기에 올라서 속절없이 잘리면 어떡해?"

이 소문은 사실과 좀 달랐다. 새로 취임한 사장의 말마따나 블랙리스트가 없었다는 건 아니었다. 정말로 회사는 원활한 구조 조정을 위해 내보내야겠다고 판단한 직원들의 명단을 작성했다. 다만 소문처럼 회사가 직권을 남용해 해직시킨 건 아니었다. 회사는 어떻게든 블랙리스트에 오른 이들이 퇴직 신청서를 작성하게끔 만들었다.

회사는 여러 방법을 구사했으나 제일 대표적인 게 출퇴근하는 데만 도로에서 서너 시간을 소비해야 하는 먼 공장에다 이들을 한데 모아 놓고 재교육을 하는 것이었다. 재교육이라는 표현은 썼지만 실은 무단 방치였다. 외딴 산속에 자리했던 공장은 낡고 오래되어 냉방이 되지 않았고 식당이 마련되어 있지 않아 산 아래 식당으로 밥을 먹으러 내려가야 하는 불편을 감수해야 했다. 재교육 내용도 업무에 전혀 도움이 되지 않는 상투적이고 따분한 것들로 가득했는데, 전화나 LTE가 터지지 않는 외지라 이 무료한 시간을 달랠 방법이 없었다. 게다가 교육관들은 무례하고 험상궂은 말투를 마구 날렸다.

블랙리스트에 올랐지만, 순순히 회사를 나가지 않겠다고 굳은 다짐을 했던 많은 직원들이 이런 이유들로 결국 신청서를 작성했다. 몇 년 후 JU전자의 블랙리스트가 매스컴에 공개되어 세간을 시끄럽게 만들었다. 그러자 여러 매체들이 사냥감을 발견한 하이에나처럼 득달같이 달려들어 취재를 벌였다. 당시를 경험했던 많은 전직 직원들은 기자들이 내미는 마이크 앞에서 회한이 담긴 고백들을 털어놓았다.

"단지 불편하고 힘들어서 그랬던 건 아니에요. 기자 양반도 재교육장 가보셔서 아시겠지만, 사람을 절로 비참하게 만들잖아요. 이래 가면서 버텨야 하나 회의감이 마구 드는데……."

회사의 극악한 재교육을 끝내 버텨 내고 살아남은 직원들도 존재했다. 모 종편 채널의 다큐멘터리 PD는 그들이 어떻게 버텨 냈는지 취재하고자 그들에게 인터뷰를 요청했다. 처음 취재 요청을 거절했던 이들은 PD의 집요한 방문과 설득 끝에 조금씩 자신들이 버텨 냈던 노하우들을 털어놓았다.

"제가 학창 시절에 대학 아마추어 록 밴드에서 베이스 기타를 쳤거든요. 그래서 재교육장 갈 때마다 베이스와 소형 앰프를 들고 갔어요."

"아, 맞아요. 거기서 강 과장 이 친구가 자주 좋은 연주를 들려주곤 했죠. 분위기가 처졌을 땐 신나는 곡도 들려주고 울적한 날엔 차라리 구슬픈 곡을 들려줘서 우릴 펑펑 울려 줬죠."

"그래요. 강 과장님 아니었으면 진작 때려치웠을 거예요. 그래서 항상 과장님께 고마움을 느끼고 있어요."

"과장님은 차라리 JU전자에 안 오셨던 게 본인의 인생에서 더 좋았을지 몰라요. 대학생 가요제에서 수상도 해 가수 데뷔 제안도 받으셨다던데."

그런데 PD는 취재 도중 조금은 색다른 방법으로 재교육을 버텨 낸 직원도 발견했다. 역시나 PD는 그에게도 카메라를 들이밀었다.

"아, 저요? 전 별게 없는데……."

"그래도 일 년이 넘게 자행된 JU전자의 악랄한 재교육을 버텨 내셨잖아요. 어떤 심정으로 그리하셨는지 시청자들이 무척 궁금해할 겁니다."

"실은……."

직원은 한참을 망설이다가 겨우 입을 열었다.

"아내와는 사내에서 만나 연애하고 결혼했거든요. 근데 와이프가 먼저 명예퇴직을 신청해 버린 거예요. 그리고는 저한테 신신당부했죠. 당신은 어떻게든 버텨 내라고."

"아, 아내에 대한 사랑과 가장으로서의 책임감 때문에……."

직원은 PD의 지레짐작에 고개를 가로젓고는 계속말을 이어 나갔다.

"그래서 버티려고 했는데요. 근데 재교육장까지 오가는 길이 힘들고 거기서 무시당하는 건 참아도 딱히 하는일이 없으니까 너무 심심한 거예요."

"그래서 강 과장님처럼 뭘 준비해 가셨군요?"

"아뇨, 제가 손재주가 있는 편이 아니어서……."

"그럼?"

"그러다 우연히 2층 남자 화장실 맨 끝 칸만 LTE가 터진다는 사실을 발견했어요. 그다음부터는 거기 들어가서 제가 즐겨하던 모바일 게임을 즐겨했죠. 'Knight & Magician'이라고 그리 유명한 게임은 아닌데, 저는 타격감이 좋아서······."

PD는 직원의 인터뷰를 방송에 내보낼지 고민했다. 이 남자가 퀴퀴한 냄새를 풍기는 화장실 변기에 쪼그리고 앉아 모바일 게임을 하면서 지루하고 괴로운 재교육 시간을 죽이는 광경을 떠올리면 안쓰러운 게 사실이었다. 그렇지만 시청자들의 심금을 울릴 정도로 그리 감동적인 이야기는 아니라는 판단이 들었다.

PD의 고민은 길어졌다. 그는 마침내 직원의 인터뷰도 방송에 내보내기로 결심했다. 무슨 특별한 계기가 작용했던 건 아니었다. 애초에는 집어넣지 않았는데 편집팀이 방송 분량의 부족을 호소하자 이를 해결하기 위한 방편일 뿐이었다. 그래도 그의 인터뷰는 시청자들로부터 좋은 반응을 얻어 내었다.

그로 인해 직원의 신변에도 소소한 변화가 생겼다. 그

의 입을 통해 방송으로 'Knight & Magician' 게임이 언급되자 제작사는 화제성을 노려 그를 CF 모델로 섭외했다. 직원은 모델료로 몇천만 원을 호가하는 게임 내 극강의 아이템, 아모리아의 검을 달라고 제시했다.

타석

    이제 겨우 5회가 지났을 뿐인데 상대 팀에게 10점 이상으로 뒤지자 감독은 말없이 인상을 구겼다. 코치들 역시 불편한 심기를 감추지 못하곤 조용히 오늘 게임을 접을 준비를 했다. 프로 야구에서는 기권패가 없으므로 수석 코치는 주전 선수들을 교체하는 거로 이를 대신했다.

    경기를 관람하던 관중들은 선수들의 근성 부족과 코칭 스태프의 무능함을 들먹이며 욕설을 날렸다. 그 소리는 더그아웃까지 또렷하게 들릴 정도였다. 그러나 일 년에 144경기를 치르면서 경기가 조금만 지지부진하거나 형편없으면 날아오는 비난들을 숱하게 먹으며 성장한 선수들과 코치진들은 그저 덤덤할 뿐이었다.

    "예전에는 닭 다리로 등짝도 맞아 봤는걸, 뭐."

    "저는 미스코리아 아내랑 맨날 밤에 떡 치느라 힘이

없어 그따위 스윙하냐는 소리도 들었는걸요."

"야, 내 앞에서 번데기 주름잡지 마. 난 선수 시절에 팀이 16연패를 당했더니 구단 버스가 눈앞에서 활활 불타더라."

"저럴 거면 경기 끝나고 사인해 주라면서 귀찮게나 하지 말지. 이기면 존경하는 선수라 그러고, 지면 개새끼래."

삼 년 내내 2군을 전전하다 지난주에 갓 1군에 입성한 남자는 귓가를 맴도는 관중들의 욕설에도 오히려 입가에 미소를 지으며 활기를 보였다. 코치들이 주전을 교체하며 생긴 빈자리에 그동안 출전하지 않았던 후보들을 대거 경기에 내보냈던 까닭이었다. 덕분에 남자도 올해 처음으로 1군 경기에 나섰다. 5회 말에 공교롭게 타격 부진과 미스코리아 아내를 맞이한 시기가 겹쳐 관중들의 맹비난을 한몸에 받았던 주전 우익수와 교체되어 그라운드 잔디를 밟았고, 다음 회 공격에서는 오각의 흰색 다이아몬드가 기다리는 타석에도 들어설 예정이었다.

"기회란 항상 찾아오는 게 아냐. 그러니 주어졌을 때

절대 놓치지 말라고."

　지인들의 충고가 아니더라도 남자는 그럴 생각이었다. 데뷔한 지 오 년이 넘었음에도 불구하고 작년에 늦깎이 신인상을 수상한 동료는 주전 2루수가 갑작스런 부상을 당하자 땜방으로 나섰다가 맹활약을 펼치며 돌아온 2루수를 다른 곳으로 트레이드하게 만들었다. 최근에는 팬들이 날린 닭 다리를 맞는 볼썽사나운 꼴을 연출한 팀의 간판 슬러거도 작년에 음주 운전 사고로 물의를 일으킨 선수를 대신해 25인 로스터에 들어왔다가 아직도 자리를 유지 중이었다.

　남자는 프로 야구에 발을 들여놓은 지 벌써 칠팔 년이 다 되어 갔지만, 아직 자신이 뼈를 묻을 팀을 찾지 못하고 떠돌았다. 느닷없는 주전의 이탈이나 트레이드가 벌어졌을 때만 간신히 1군에 올라와 경기를 펼치는 그였다. 그러니 연봉과 인지도가 별 볼 일 없었다. 남자의 가족들은 누가 꼬치꼬치 캐묻기 전까지는 남자가 프로 야구 선수란 걸 밝히지 않았다. 그럼 예외 없이 상대방은 TV에서 이를 확인하고자 했다. 그가 주로 벤치를 지켰던 2군 경기는 TV에서 쉽게 보기 어려웠다. TV에서 볼 수 없는 선수를 그들은 굳이 더 알고자 하지 않았다.

남자도 이제 자신의 진가를 발휘하고 싶었다. 늦깎이 신인상은 나이 때문에 물 건너갔더라도 골든글러브나 시즌 MVP 트로피를 받아서 진열장에 모셔 두고 싶었다. 팀 내에서 입지를 인정받아 라커룸의 좋은 자리를 차지하고 싶었고 고액 연봉을 받아 부모님께 쾌척하며 효자 소리도 듣고 싶었다. 미스코리아나 탤런트 아내도 얻을 수 있다면 금상첨화였고…….

당장 다음 회 공격에서 임팩트 있는 장면이 필요했다. 선구안을 발휘하여 볼넷을 얻어 내도, 좌익수나 우익수 앞에 뚝 떨어지는 안타도 타율이나 출루율 면에서는 괜찮았다. 하지만 그런 것들은 보기에 밋밋했다.

홈런이 필요했다. 공을 제대로만 배트에 갖다 맞추면 충분히 담장 밖으로 넘길 파워를 갖고 있다고 자부하는 남자였다. 다행히 상대 팀 투수는 크게 앞선 점수를 믿고 단조로운 패턴의 투구를 구사했다. 빠른 직구 아니면 포수 미트 앞에서 낮게 떨어지는 슬라이더였다. 이를 잘 골라내 직구를 통타한다면 홈런이 불가능해 보이지 않았다. 앞선 타자들이 공 몇 개에 허무하게 죽어 그가 대기

타석에 머물렀던 시간은 잠깐이었지만 남자의 머릿속에는 오만가지 생각들이 복잡하게 얽혔다.

남자가 타석에 들어섰다. 투수는 남자의 헛스윙을 유도하고자 1구, 2구를 모두 슬라이더로 구사했다. 그러나 미동조차 하지 않았던 남자는 직구로 날아오는 3구를 힘껏 받아쳤다. 예상대로 공은 큰 포물선을 그리며 외야로 쭉쭉 날아갔다. 하지만 펜스를 몇 미터 안 남겨 두고 그만 중견수의 글러브로 빨려 들어가고 말았다. 모처럼 터져 나온 큼지막한 타구에 관중들은 일제히 자리에서 일어섰다가 안타까움이 담긴 감탄사를 날렸다.

더그아웃으로 돌아온 남자도 얼굴에 아쉬움이 가득했지만 이내 떨쳐 버렸다.

"좋아, 타격감이 나쁘지 않아. 앞으로 두 차례 정도 타석이 더 돌아올 테니 그땐 제대로 날리면 돼."

그런데 한 치 앞도 모르는 게 인생이고 이걸 가장 많이 닮은 게 야구라고 했던가? 남자가 속한 팀은 7회부터 무서운 추격전을 펼쳤다. 타자들이 연거푸 안타를 치면서 10점이 넘는 점수 차를 야금야금 좁혀 갔다. 남자도 전 타석과 마찬가지로 큼지막한 타구를 날려 희생플라이 점수를 만들어 내며 추격에 기여했다.

마침내 경기가 9회 말에 들어서자 냉각기의 부부 사이만큼 멀어 보였던 양 팀 간의 점수는 달랑 한 점 차에 불과해졌다. 원 아웃에 주자 1루인 상황에서 남자가 다시 타석에 들어섰다.

"이번에야말로 역전 홈런을 때려서 팀을 승리로 이끌고 오늘 경기의 수훈 선수가 되는 거야!"

하지만 더그아웃의 작전 코치는 남자에게 보내기 번트 사인을 지시했다. 주자를 안전하게 2루로 보낸 후 다음 타자의 적시타를 기대해 연장을 바라보자는 계산이었다. 어쩌면 가장 확실하고 확률이 높은 작전이었다.

남자는 이를 무시했다. 역전극의 주인공이 될 수 있는 기회가 주어졌는데 이를 걷어차고 쓸쓸히 퇴장하긴 싫었다. 코치의 말을 듣지 않았다가 경기를 망쳐 버리면 동료와 코치진들의 따가운 눈총을 피할 수 없겠지만 하릴없이 멋진 역할을 주인공에게 넘겨주는 조연, 아니 엑스트라가 되고 싶진 않았다. 남자는 초구로 날아오는 공을 힘차게 때렸다.

그날 남자는 경기를 마치고 구장을 빠져나오는 길에

어느 팬이 던진 닭 다리를 등짝에 맞았다. 닭 다리와 함께 던진 욕실이 남자의 가슴으로 날아와 박혔다.

"야, 이 개새끼 병신아. 네깟 게 뭐라고! 보내기 번트를 해야지, 방망이를 휘두르다 병살을 만들어. 저런 새끼를 1군에 올린 감독이 더 병신이야!"

일 년에 144경기를 치르다 보면 이런 수모를 겪는 날도 있다는 원조의 위로가 남자의 귓가엔 전혀 와 닿지 않았다.

야근

목요일에서 금요일로 넘어가기 몇 분 전이었다. 남자가 근무하는 K프로덕션은 회사가 자리한 H빌딩 내에서 유일하게 불야성을 연출했다.

"오늘도 야근하는 게야? 일찍 들어간다더니……."

주말을 제외하고, 자정부터 이른 아침까지 H빌딩에 입주한 모든 회사의 청소를 담당하던 노부부가 깜짝 놀라며 들어섰다.

"에휴, 그렇게 됐네요."

제작2팀의 가장 연장자이자 상사인 팀장이 옅은 한숨을 내쉬며 답했다.

"이따 야식 먹을 때 음식물 좀 남기지 말고 버려. 안 그러면 다음 날 치울 때 역겨운 냄새랑 벌레들이 들끓어 얼마나 짜증 난다고."

"예예, 잘 알겠습니다. 고생하십시오."

팀장은 서둘러 노부부의 잔소리를 틀어막았다. 안 그러면 사무실을 청소하는 내내 시달려야 할 게 분명했다. 그는 야식 소리를 듣자 돌연 배가 고파졌다. 주위를 둘러보니 직원들의 표정에서 예상치 못한 야근으로 인한 짜증과 피곤함이 잔뜩 묻어 있었다. 정말로 야식을 먹어야 할 타이밍이었다.

"밥 먹고 합시다. 그래, 오늘은 뭘 먹을까?"

직원들은 일제히 화색이 돌면서 저마다 먹고 싶은 것들을 털어놓았다. 팀장은 이를 적절히 조합해서 호기롭게 주문을 시켰다.

"카페인이랑 니코틴도 좀 필요하지 않겠어?"

이 말에도 직원들은 열띤 호응을 보였다. 역시 저마다 마시거나 피우고 싶은 커피와 담배들을 주문했다. 이를 구해 오는 임무를 맡은 건 남자였다. 나이는 직원들 중에서 제일 아래가 아니었으나 직책은 그러했다. 가뜩이나 표정이 어두웠던 남자는 팀장이 건네는 법인 카드를 말 없이 받곤 사무실을 나섰다. 그는 빌딩을 나와 도로 건너편에 자리한 편의점으로 향했다.

남자가 표정이 좋지 않았던 건 애인과의 데이트가 펑크 났기 때문이었다. 여자의 툴툴거리는 목소리가 아직도 그의 귓가를 맴돌았다.

"오늘은 일찍 퇴근할 거라더니? 나 예매도 다 해놨는데."

원래대로라면 남자는 저녁 여섯 시 땡 되면 퇴근해서 애인을 만난 다음 그녀와 함께 오늘 개봉하는 영화를 관람한 후 저녁과 음주를 즐겨야 했다. 부사장, 그년이 데이트를 망친 원흉이었다.

K프로덕션 제작2팀은 올해 초부터 JU전자의 사내 방송에서 방영되는 15분짜리 다큐멘터리 영상 제작을 수주받았다. 매달 두 편씩을 납품했는데 JU전자에서 요구하는 퀄리티에 비해 제작 기간과 인력이 부족한 터라 며칠씩 밤을 새우는 건 기본이었다. 이게 미안한 팀장은 납품일 만큼은 오후 여섯 시 정각에 부하 직원들을 퇴근시켰다. 이런 관행으로 남자는 애인과 저녁 데이트를 잡았었다.

근데 오늘 납품 시사회에 부사장이 등장했다. 그녀는 높은 직책이었지만 아버지가 회장이었던지라 남자보다도 어렸다. 영상에 자신의 출연 분량이 있었던 터라 어떻게 나왔는지 궁금해 일부러 참석한 모양이었다.

"이따위를 방송으로 내보내려고 했단 말이야? 내가 되게 뚱뚱하게 나왔잖아. 나 엿 먹이려고 그러는 거야? 그런 거야?"

영상을 보고 분노한 부사장은 자신의 삼촌뻘 되는 팀장에게 물컵을 집어 던지며 고래고래 소리를 질렀다.

"당장 다시 찍어. 안 그러면 당신들과의 계약 파기할 거야!"

당장 내일 방송을 내보내야 했는데 아무리 부사장의 출연 분량만 다시 찍는다고 해도 반나절밖에 남지 않은 팀장은 결국 야근을 지시했다. 그게 오늘도 K프로덕션만 H빌딩 내에서 유일하게 불야성을 연출한 이유였다.

"월급은 쥐꼬리만 하게 주면서 맨날 야근이야. 그따위 회사 때려치우면 안 돼? 이래 가지곤 자기 못 만날 것 같아."

하소연인지 협박인지 모를 애인의 이 말도 여전히 남자의 귓가에서 앵앵거렸다.

"어서 오세요!"

문을 열고 편의점 안으로 들어서니 남자와 동년배로 보이는 알바가 그를 반갑게 맞이했다. 남자는 그와 눈이 마주치자 크게 놀랐다. 이는 알바 역시 마찬가지였다. 알고 보니 둘은 고등학교 동창이었다.

"야, 네가 여기 어쩐 일이냐?"

"나? 저기 건너편 빌딩에 있는 회사에서 일하지. 그런 넌?"

"보다시피 여기서 알바 중이잖아."

오랜만에 친구와 재회한 남자는 자신이 이곳에 들른 목적도 잊고 그와 정답게 얘기를 나누며 회포를 풀었다.

"회사 일은 할 만해?"

"아니, 박봉에다 툭하면 야근이야. 오늘도 보면 알잖아."

"힘들겠다."

"너도 밤에 근무하려면 힘들겠다."

"그렇긴 한데 야간 시급이 꽤 세니까 그걸로 버티는 거지."

"얼만데?"

"월급으로 받아서 안 따져봤는데, 백팔십 만 원 받으

니까 시급이 한 만 원 넘으려나?"

"뭐, 백팔십?"

남자는 놀란 입을 다물지 못했다. 자신의 월급과 그다지 차이가 없었다. 각종 세금을 제하고 나면 월급 통장에 들어오는 돈은 고작 이백만 원 남짓이었다.

"그, 그렇구나. 밤에 일하면 남들과 생활 패턴이 안 맞아서 사람들도 자주 못 만나고 불편하지 않아?"

"응, 그래도 여친이랑은 자주 만나. 오늘도 여기 출근하기 전에 동네 공원에서 함께 캔맥주도 마시고 오락실에서 게임도 하고 그랬는걸. 출근 시간만 지키면 되니까 뭘."

남자는 또 한 번 친구가 덤덤히 늘어놓는 대답에 큰 충격을 받았다. 자신은 애인과 데이트를 한 지가 대체 언제인지 가물가물한데 친구는 오늘도 소박한 데이트를 즐겼다. 그는 고작 편의점 야간 알바에 불과한데도 이상하리만큼 중소 기업이지만 정규직인 자신보다 모든 게 나아 보였다.

남자는 자신도 모르게 진심이 입에서 새어 나왔다.

"네가 나보다 나은 것 같다."

"에이, 무슨……. 그래 봐야 난 이력서에 경력 한 줄 기재하지 못하지만 넌 아니잖아. 참고 버티다 보면 언젠간 네가 꿈꿔 왔던 공중파 방송 PD가 될지 어찌 알아?"

그랬다. 남자가 박봉에 툭하면 야근을 일삼는 회사에 입사해 지금까지 버티는 이유는 공중파 방송 PD가 되기 위한 경력을 쌓기 위함이었다. 친구가 자신과 그리 차이 나지 않는 월급을 받고 자신보다 더 수월하게 애인과 만나 즐거운 시간을 보내더라도 그의 말마따나 이력서에 차마 기재할 수 없는 단순노동을 하고 있는 것에 불과했다. 이런 생각이 들자 다시금 기운을 얻은 남자는 금세 얼굴이 밝아졌다.

문에 달린 종이 요란하게 울리며 누군가 편의점 안으로 들어섰다. 그는 세미 정장 차림이었지만 그 위에 편의점 로고가 박힌 조끼를 입어 한눈에 본사에서 보낸 직원임을 알려주었다.

"슈퍼바이저 님께서 늦은 시각에 여긴 어쩐 일로……."

"밤에 근무하시는 터라 이 시간에 와야지만 뵐 수 있어서……."

뜻밖의 방문객은 남자가 보는 앞에서 친구에게 스카우트를 제안했다. 친구는 얼떨떨한 표정을 지었다.

"제가 그럴 자격이 되나요?"

"그럼요. 저희 프랜차이즈에서 무려 팔 년이나 알바로 근무하셨잖아요. 그 정도 경력이면 슈퍼바이저 업무를 수행하시기에 손색이 없습니다."

남자는 직원들이 주문했던 담배와 커피를 양손에 들고 회사로 귀환했다. 이미 배달된 야식을 허겁지겁 먹던 직원들은 남아 있던 것을 그에게 권했다. 하지만 입맛이 사라진 남자는 이를 외면하고 자신의 자리로 돌아가 앉았다.

남자는 데이트를 망쳐서 속상한 애인의 툴툴거리는 목소리가 아직 귓가를 맴돌아서 입맛이 없었던 건 아니었다. 아무래도 오랜만에 만난 옛 친구 때문에 그러는 것 같았다. 친구는 고작 편의점 야간 알바에 불과한데도 이상하리만큼 중소 기업이지만 정규직인 자신보다 모든 게 나아 보였다.

짜장면

최 부장의 이사 승진 발령에 임원들의 입이 댓 발로
튀어나왔다.

"마흔도 안 됐는데 벌써 이사? 이러다가 내년엔 자네
자리도 빼앗겠어?"

"개국 공신인데 별수 있나. 가장 오랫동안 회장님 옆
에서 알랑방귀를 뀌었을 테니 뭐."

최 부장의 초고속 승진에 대해 시기와 질투심이 가득
담긴 임원들의 험담은 계절이 바뀌어도 그칠 줄 몰랐다.
급기야 임원진 회의에서 대표를 맡은 초로의 상무가 남
자에게 이를 따졌다.

"아무리 최 이사가 회장님이 어려웠던 시절부터 함께
해 관우, 장비처럼 느껴지시겠지만, 회사에는 엄연히 서
열과 계급이라는 게 있습니다. 근데 심사 때마다 그 친구

를 승진시키시면… 오죽하면 최 이사를 회장님의 숨겨
둔 자식으로 여길 지경입니다."

남자는 상무의 충고를 진지하게 받아들이지 않았다.

"아직 이사일세. 자넬 앞지른 것도 아닌데 왜 그리 까
칠하게구나?"

"수군거리는 말들이 많이 나와서 그러는 겁니다."

"내가 알기로는 직원들이 최 이사를 칭찬하며 롤 모
델로 삼는다던데?"

남자의 말은 사실이었다. 남직원들은 젊은 나이에 승
승장구하며 성공 가도를 달리는 최 이사를 존경했다. 낙
하산이 아니라 오로지 실력만으로 쟁취한 그에게 성공
의 사다리를 발견하고는 자신도 그와 같은 길을 오르고
싶어 했다. 여직원들은 최 이사가 아직 미혼이라는 점에
주목했다. 게다가 기획부 과장과 인사부 부장을 거치며
여직원들의 처우와 복지에 신경을 많이 썼던 터라 인기
도 많았다. 잘생긴 외모가 아닌데다 과묵하고 무뚝뚝했
지만 당장에라도 최 이사가 프러포즈를 한다면 넘어올
여직원들이 많았다.

회장답지 않게 수행비서를 대동하지 않고 홀로 사내

를 거니는 걸 좋아했던 남자는 우연히 자판기에서 최 이
사와 마주쳤다.

"자네 또 그 싸구려 캔커피인가? 명색이 B그룹 이사
면 체면도 차릴 줄 알아야지. 비서가 내려주는 원두커피
를 마시란 말이야."

"전 이게 좋은 걸요."

남자는 정말로 그걸 매우 좋아해서 그런 건지, 아니면
무슨 사연이 있는 건지 툭하면 편의점에서 원 플러스 원
행사로 판매하는 캔커피를 즐겨 마시는 최 이사를 말리
지 못했다.

"스케줄 없으면 같이 저녁이나 먹지. 짜장면 어떤
가?"

칠천 명에 가까운 직원들이 몸담은 회사의 대표인 남
자의 제안을 감히 최 이사가 거절할 힘은 없었다. 둘은
그렇게 회사에서 그리 멀지 않은 중국집으로 향했다. 짜
장면 그릇을 어느 정도 비우자 최 이사는 남자와 허심탄
회하게 대화를 나누었다.

"사내에서 저 때문에 말들이 많다고 들었습니다."

"너무 신경 쓰지 마. 다들 부러워서 시샘하는 거니

까."

"왜 저를 그리 편애하시는 겁니까?"

"편애라니? 일을 잘하니까 그러지."

"저만한 능력을 갖추고 성실하게 일하는 직원들은 많습니다."

"그래? 그럼 혹시 이 짜장면 때문인가?"

"네?"

뜬금없이 남자는 짜장면을 들먹이며 자신의 기억 속 시계를 과거로 돌렸다. 촉망받는 30대 후반의 젊은 이사지만 그래 봐야 남자 앞에서는 일개 부하에 불과한 최이사는 그가 되돌리는 시계를 물끄러미 지켜보았다.

남자가 멈춘 시간은 B그룹이 아직은 B물산이라는, 인지도나 규모에서 별 볼 일 없던 자그만 회사였을 때였다. 대한민국 제일의 기업인 JU전자가 정부의 공적 자금을 지원받을 정도로 나라 경제가 무척 어려웠던 시기이기도 했다. 정부가 지방 외지에 자리한 중소 기업에까지 신경 쓸 여력은 없었다. 이전까지 잘 돌아가던 남자의 회사는 만기가 다가오는 어음을 막지 못하고 직원들의 월급을 주지 못하는 크나큰 어려움을 겪었다.

남자가 창업을 할 때 함께했던 동지들과 직원들은 모두 이 시기에 떠나갔다. 남자는 이들을 욕하지 않았다. 각자도생을 막을 명분도, 염치도 그에겐 없었다. 오히려 따뜻하고 넉넉한 송별회를 해주지 못한 게 미안할 따름이었다. 이때 유일하게 남자 곁을 떠나지 않은 자가 바로 최 이사였다. 당시는 들어온 지 얼마 되지 않은 새내기 직원에 불과했다.

"자네도 얼른 떠나. 마음은 알겠으나 여기 더 있어 봐야 가망이 없어."

남자는 허탈한 웃음을 지으며 자신과 회사의 처지를 솔직하게 털어놓았다. 그런데 이를 들은 최 이사의 반응도 마찬가지였다.

"그러고 싶은데 오라는 곳이 없네요. 받아 주려는 곳도 없고……."

"내가 추천서나 경력 증명서를 잘 써주면 되지 않을까?"

최 이사는 힘없이 고개를 가로저었다.

"근데 여기는 어떻게 들어온 거야?"

"그러게요."

남자는 최 이사의 대답에 그만 너털웃음을 터뜨렸다. 듣기에 따라서는 무척 불쾌한 언행이었지만 이상하게도 그는 기분이 나쁘지 않았다.

그날 밤 둘은 텅 빈 사무실에서 짜장면을 시켜 먹었다. 회사 대표였음에도 불구하고 수중에 돈이 하나도 없었던 그는 최 이사에게 얻어먹어야만 했다.

"재기하면 꼭 짜장면값 갚을게."

"에이, 얼마나 한다고. 괜찮습니다."

최 이사는 남자의 다짐을 그저 빈말로 넘겼다.

"아냐, 반드시 갚을 거야. 꼭 그럴 거야."

갑자기 가슴이 울컥한 남자는 누가 그러라고 강요하지 않았는데도 펑펑 울면서 이 말을 되풀이했다. 그의 눈물이 빈 짜장면 그릇으로 똑똑 떨어졌다.

"아직 짜장면값을 다 못 갚은 것 같아."

남자의 시계는 어느새 다시 현재로 되돌아왔다.

장학금

여자는 장학금을 자주 받았다. 장학금은 기준 학점 이상을 넘어야 하는 성적 장학금이나 일정 시간을 교내에서 근무해야만 받는 근로 장학금이 아니었다. 그저 수혜 대상에만 선정되면 바로 지급되는 외부 장학금이었다. 대개 모교를 졸업하고 자수성가한 사업가들이 이를 후원했다.

장학금을 받았으니 반드시 무얼 이행해야 한다는 부담이 없었기에 많은 학생들이 이 장학금에 군침을 흘렸다. 대신 수혜 대상에 선정되는 게 무척 까다로웠다. 복잡한 절차나 자격 조건이 있었던 건 아니었고 학과장이나 학교 관계자가 장학금을 받고자 하는 이들이 작성한 신청서를 검토해 그중에서 고르면 그만이었다. 그럼 변별력을 갖추고자 신청서의 기재사항이 복잡해 작성하기가 어려웠냐 하면 그것도 아니었다. 그저 사막처럼 아무것도 없이 황량한 여백에 자신이 장학금을 반드시 받아야 하는 이유를 나열하면 그뿐이었다. 오로지 그것만이 대상자를 판가름하는 기준으로 작용했다.

그러다 보니 넓은 여백을 쉽게 채울 수 있는 합당한 이유를 갖고 있는 지원자가 유리했다. 그 합당한 이유라는 게 도저히 이 친구에겐 장학금을 지급하지 않을 수 없는 기구한 사연들이었다. 심사자가 읽다가 안타까움에 혀를 차거나 눈물샘을 자극하면 더할 나위 없이 완벽했다. 그게 후원자가 바라던 바였을 테지만, 자신의 가난을 구구절절 나열한 신청자가 대개 대상자로 선정되었다.

그런 까닭에 가난한 집안의 도움을 받지 못하고 홀로 상경해서 옥탑방과 고시원을 전전했으며 새벽에는 신문 배달, 낮에는 모 햄버거 프랜차이즈의 배달 크루로 일했던 여자가 자주 장학금 수혜 대상자로 선정되었다. 웬만한 남성들도 하루를 버티기 어려운 힘든 나날이었다. 글쓰기에는 젬병이었던 그녀는 신청서에 어떠한 미사여구도 넣지 않았다.

다른 신청자들은 여자가 번번이 선정된 것에 대해 뒷담화를 늘어놓았다.

"너무 소설 같지 않냐? 밤낮으로 알바를 뛰는데 어떻게 학점이 그리 높아?"

"걔 남친도 있잖아. 대체 알바가 얼마나 여유로우면 남자랑 노닥거릴 수 있어?"

"실은 장학금을 데이트 비용으로 쓰는 거 아냐?"

"맞아. 소혜가 그러는데, 걔 얼마 전에 고급 빌라에서 나오는 거 봤대."

"그래, 캔디 코스프레 하는 건데 학과장이 번번이 속는 거라니까."

이들은 여자보다 풍요로운 집안에서 태어났다는 자신들의 중요한 결격 사유는 헤아리지 못했다. 그저 여자의 기만행위에 선정권자인 학과장이 놀아나는 것으로만 여겼다.

며칠 후 이들은 득달같이 학과장실로 쳐들어갔다. 여자의 장학금 선정을 취소하라고 탄원하기 위해서였다. 어제 또 B물산의 인사부장과 밤늦게까지 술을 마시느라 속이 울렁거리고 온몸이 피곤했던 학과장은 서둘러 귀가하려 했지만, 꼼짝없이 붙잡혀서는 이들의 성토를 들어야 했다.

"글쎄 소혜가 어제 ○○아트하우스에서 걔가 남자랑 뮤지컬 보고 나오는 걸 봤다니까요."

"그뿐인 줄 아세요? 그다음에는 건너편에 자리한 고급 레스토랑까지 들어갔었다고요."

"걔, 완전히 부르주아예요. 가난하다면서 남들처럼 할 거는 다 하고 살잖아요."

이들의 불만 섞인 고성은 학과장의 작은 연구실을 쩌렁쩌렁 울리고도 남았다.

"알았어. 불러서 어찌 된 영문인지 알아보고 조치할 테니까."

학과장의 입에서 이러한 대답이 나오고 나서야 이들은 순순히 물러갔다. 연구실 문을 나서는 이들의 표정은 불의를 자신들의 손으로 척결했다는 자부심과 짜릿한 흥분으로 가득했다.

학과장은 즉시 여자를 호출했다. 알바를 하고 있던 여자는 그의 엄명에 나머지 시급을 포기하고 헐레벌떡 연구실로 달려왔다.

"난 네가 힘들게 학교생활 하는 줄 알았다. 그래서 이번에도 널 장학금 수혜 대상자로 선정했는데 내가 잘못 안 거니?"

학과장은 조금 전 장학금 탈락자들이 고자질했던 내용들을 그녀에게 털어놓았다. 여자는 말을 더듬거리며 이를 해명했다.

"어제가 남친과 만난 지 오백 일 되는 날이었어요. 그래서 남친이 평소 제가 보고 싶어 했던 뮤지컬도 보여주고 레스토랑도 잡아 놓은 거예요."

여자의 말을 들으면 쉽게 어제의 상황이 납득되었다. 하지만 학과장은 자리를 마련한 김에 여자에 대한 무성한 소문들의 실상을 알고 싶었다. 제3자가 지켜봤다면 영락없이 취조 중인 형사와 범인이었다. 학과장의 부드러운 말투가 이를 교묘히 감출 뿐이었다.

"그랬니? 바쁜 와중에도 용케 남친과 오랫동안 관계를 유지했구나?"

"일하다가 만났어요. 남친이 자주 배달 나가던 전자대리점에서 근무하거든요. 저 보려고 그 사람이 햄버거를 몇 개나 주문했는지 몰라요."

남친과의 추억을 떠올린 여자는 입가에 미소를 지었다.

"일하면서 공부하느라 힘들지? 어떻게 학점은 그리 잘 나와?"

"다행히 장학금을 받으면서 생활비가 많이 충당돼 옛날처럼 오래 알바 뛰진 않아도 돼요. 충분히 일하면서 공부할 수 있습니다."

"누가 예전에 고급 빌라에서 나오는 걸 봤다던데?"

"아마 제가 신문 구독료 수금하는 걸 본 모양이에요."

"어, 그래⋯⋯."

학과장은 속으로 짜증이 밀려왔다. 그 짜증이 여자를 향한 건 아니었다. 그녀에 대해 잘 알지도 못하면서 이러쿵저러쿵 떠들며 자신까지 피곤하게 만든 장학금 탈락자들이었다.

"교수님께서 저 왜 부르셨는지 알아요. 장학금 때문이시죠?"

눈치가 있는 사람이라면 비단 여자가 아니라도 다 알았을 것이다. 그렇지만 이를 들킨 학과장은 당혹스러운 표정을 지으며 머리를 긁적였다.

"하도 너에 대해 말이 많아서……."

"교수님, 가난해서 장학금 받는 사람은 공부 잘하면 안 되나요? 연애하면 안 되나요? 뮤지컬 보고 레스토랑에 가서 맛있는 저녁 먹으면 안 되는 건가요? 가난한 티를 내야만 받을 수 있는 거냐고요?"

학과장은 여자의 질문에 대답할 수 없었다.

도시락

구립 도서관 바로 맞은편에 자리한 김밥천국이 기습적인 가격 인상을 단행했다. 인건비와 물가 상승을 들먹이며 적게는 오백 원, 많게는 천오백 원까지 모든 메뉴의 가격을 올렸다. 느닷없이 가격을 올렸으니 매출에 심각한 타격을 입을 거라는 주변의 예상은 보기 좋게 빗나갔다. 좀 더 지켜봐야 하겠지만 일주일이 지난 지금, 그곳을 드나드는 손님의 수는 이전과 별다른 차이를 보이지 않았다. 하긴 반경 500미터 내에 가볍게 한 끼 식사를 해결할 식당이 마땅히 없었으니 손님들은 설사 인상에 불만을 가졌더라도 어쩔 수 없이 그곳을 드나들어야 했으리라.

그러나 웬만한 빨간 날과 명절에도 빠짐없이 구립 도서관에 출근 도장을 찍던 남자는 이를 간과할 수 없었다.

그는 지갑도 없이 바지 주머니에 오천 원 지폐 한 장을 쑤셔 놓고는 도서관에 와서 하루 종일 시간을 보냈다. 남자는 나름 시간을 알차게 나눠 썼는데 살짝 들여다보자면 다음과 같다.

오전에는 4층 컴퓨터실에 들러 인터넷 구직 사이트에 접속한 다음, 본인이 지원 가능한 공고를 꼼꼼히 살펴본다. 만약 지원 조건에 부합하거나 입사 가능성이 보이면 바로 지원한다. 이후 점심을 해결한 다음, 오후부터는 3층의 자유 열람실에 자리를 잡고 공무원 시험 공부에 돌입한다. 그러다가 해가 어스름하게 질 때쯤이면 저녁을 먹고는 지하 1층의 도서 열람실에 비치된 잡지나 책들을 읽는다. 그렇게 도서관이 문을 닫을 시간까지 죽치고 있다가 늦은 귀갓길에 오른다.

남자에게 김밥천국의 가격 인상이 왜 간과할 수 없는 큰 문제였냐면 도저히 오천 원으로 두 끼 식사를 해결할 수 없었기 때문이었다. 인상 전에는 천 원짜리 빵과 오백 원짜리 우유로 대충 점심을 때운 후 저녁에는 반드시 김밥천국에 들러 정식 중에서 가장 값이 싼 삼천오백 원짜리 찌개 시리즈(김치, 된장, 순두부)를 돌아가면서 먹었다. 그렇지 않으면 늘 주린 배를 움켜잡고 집으로 향할 수밖에 없었다.

그런데 일주일 전에 찌개 시리즈들이 모두 천 원씩 오르면서 매일 주머니에 들고 오는 돈 오천 원으로는 점심이나 저녁 하나를 포기해야만 했다. 이는 남자에게 이번 공무원 시험의 경쟁률이 작년에 비해 무려 30%나 올랐다는 비보보다 더 큰 근심거리였다.

"그러지 말고 부모님한테 용돈 좀 더 달라고 해."

친구는 남자의 하소연에 건성 어린 제안을 내놓았다. 실은 친구의 말이 가장 빠르고 손쉬운 해결책이 될 수 있었으나 남자는 고개를 가로저었다. 작년에 아버지께서 정년퇴직을 하신 후로 가정에 들어오는 수입은 0에 가까웠다. 그래도 부모님은 쥐꼬리만 하게 들어오는 연금을 쪼개 서른이 되어서도 아직 집에 빌붙어 사는 남자의 용돈을 쥐여 주었다. 그런 그들에게 뻔뻔스럽게 용돈을 더 달라는 얘기를 꺼낼 순 없었다.

"그럼 저녁은 집에 가서 먹어. 아니면 점심을 먹고 도서관에 나오든가."

친구의 다음 제안은 아까보단 일리가 있었으나 남자

는 속으로 조용히 이를 기각시켰다. 그는 집에 오래 머물기가 싫었다. 남자가 집에 붙어 있는 날이면 부모님은 대놓고는 아니더라도 친구들의 자제들과 비교하며 넋두리를 늘어놓았다. 동창회라도 있는 날이면 강도는 한층 심해졌다. 이걸 듣고 있자면 억장이 무너지는 심정을 주체할 수 없었다. 그런 그에게 구립 도서관은 좋은 피난처였다. 차라리 굶고 말지, 집에 일찍 들어가 부모님이 주는 눈칫밥은 결코 먹고 싶지 않았다.

"편의점 도시락으로 때우는 건 어때? 요새 메뉴도 다양하고 훌륭한 게 많이 나왔던데."

그나마 이게 친구가 건넨 제안 중에서 가장 유용하고 설득력이 있어 보였다. 남자는 당장 늘 빵과 우유를 사는 편의점에서 다채롭게 진열된 도시락들을 찬찬히 살펴보았다. 삼천오백 원에 고를 수 있는 것들이 대여섯 종 정도 진열되어 있었다. 일주일에 한 개씩 번갈아 가면서 먹으면 될 듯 보였다.

저녁이 해결되었다는 생각이 들자 남자의 입가엔 절로 미소가 감돌았다. 참으로 오래간만에 느껴보는 소소하지만 행복한 감정이었다. 아마 공무원 시험에 합격했다는 소식을 접해도 이걸 능가할 수는 없을 듯했다.

언제나처럼 도서관 창밖으로 옅은 어둠이 은근슬쩍 찾아오자 남자는 수험서를 덮고 곧장 편의점에 들러 도시락 하나를 골랐다. 오늘은 '고기 듬뿍 김치제육'이라는 이름의 제육볶음 도시락을 먹어 보기로 결정했다. 도시락을 손에 들고는 가끔 여윳돈이 생기면 커피 한 잔씩을 뽑아 먹었던 자판기가 비치된 휴게실로 향했다. 그런데 휴게실에 들어서자마자 남자는 낭패감으로 가득했다. 빈자리를 찾아볼 수 없을 정도로 많은 사람들이 빼곡하게 들어차 있었던 것이었다. 이들은 각자 남자처럼 편의점에서 사 왔거나 아니면 손수 싸 온 도시락들을 들었다. 모두 홀로 말없이…….

갈 곳을 잃은 남자는 도시락을 손에 든 채 정처 없이 방황했다. 도서관 옥상은 흡연자들의 담배 연기로 가득해 적합지 않았고, 2층의 기타 열람실에 놓인 원형 테이블은 식사하기에 좋았으나 사서의 눈총이 부담스러웠다. 화장실과 창고로 연결된 복도의 기다란 의자는 예전부터 미화원 할머니들의 휴식 공간으로 쓰였던 터라 역시 이용할 수 없었으며 도서관 앞 화단의 턱은 앉기에 너무도 불편했다. 남자는 도시락 하나 편하게 먹을 수 있는 공간이 없다는 사실에 서글픔이 밀려왔다.

"요 앞 공원에 가서 먹는 건 어때? 인적이 드문 시간이라 벤치에서 조용히 먹기에 괜찮을 것 같은데."

남자는 이번에도 친구의 말을 따랐다. 녀석의 말처럼 공원은 산책을 나온 노인들과 놀이터에서 뛰어노는 아이들 외에는 비교적 한산했다. 남자는 비어 있는 아무 벤치에나 다가가 털썩 주저앉은 다음 이미 식어 버린 도시락을 허겁지겁 먹기 시작했다.

분명 아무도 그를 신경 쓰지 않았건만 남자는 노인들과 아이들이 자꾸만 측은한 표정으로 자신을 바라보는 것만 같아 불편했다. 그래서 어떻게 먹는 줄도 모르고 꾸역꾸역 밥과 반찬을 입 안으로 밀어 넣었다. 남자는 속이 더부룩했다. 그러나 그보다 더 더부룩했던 건 어쩌면 마음이었을지 몰랐다. 먼지가 들어갔는지 눈가에 눈물이 한 줄기 고였다.

"어때, 그 공원 괜찮지? 저녁 되면 선선하고 운치도 있고. 앞으로 휴게실에 자리 없으면 그냥 거기 가서 계속 먹어."

남자는 친구의 말을 또 한 번 못 들은 것으로 했다. 그리고 다음 날부터 다시 저녁이 되면 김밥천국에 가서 찌개 시리즈를 주문해 먹었다. 남자의 용돈이 올랐냐고? 그건 아니었다. 아직 '고기 듬뿍 김치제육' 외에 삼천오백 원으로 먹을 수 있는 도시락 종들이 많았다. 하지만 휴게실에서 아등바등하거나 공원 벤치에서 처량하게 먹기보다는 점심의 빵을 포기하기로 결심했던 것이다.

프러포즈

여자가 남자를 만난 지는 벌써 십 년이 넘었다. 그녀
가 졸업한 C대학교에는 '블루오션'이라는 이름의 아마
추어 록 밴드가 있었다. 거기서 각각 보컬과 베이스 기타
를 맡았던 여자와 남자는 공연 준비를 한답시고 합숙하
는 기간이 잦아지면서 서로에 대해 많은 걸 알게 되었다.
그게 호감으로 발전하면서 연인이 되었다.

블루오션 멤버 시절에는 홍대에서 활동하는 인디 밴
드를 장래 희망으로 꿈꾸기도 했으나 둘은 졸업 후 음악
과 무관한 곳에서 일했다. 여자는 명동에 자리한 유명 프
랜차이즈 화장품 가게의 점원이 되었고 남자는 JU전자
에 취업했다. 그가 그곳에 입사하자마자 당장 여자의 부
모와 친구들은 서둘러 결혼하라고 그녀를 압박했다.

"회사에서 다른 놈이 채가기 전에 얼른 못을 박아

냐."

"그래. 돈 잘 벌지, 키 크지, 한때 기타리스트였지. 여자들이 혹할 요소들이 얼마나 많은데."

"아마 작정하고 네 남친한테 달려드는 계집애들이 한둘이 아닐걸."

"너 연애 기간만 믿고 까불다간 나중에 큰코다친다."

이들의 재촉이 아니더라도 여자는 항상 남자와의 결혼을 꿈꿨다. 그렇지만 남자는 이를 입 밖에 꺼내지 않았다. 행여 자신에 대한 감정이 식어 버린 건 아닐까 걱정이 될 지경이었다.

"야, 요새 어떤 세상인데 남자가 꼭 프러포즈해야 해? 답답하면 그냥 네가 해."

"맞아. 네 남친 보니까 숫기가 좀 없어 보이더라. 기다렸다간 평생 걸릴지도 몰라."

지인들이 하도 이렇게 충고하자 여자도 마침내 결심을 굳혔다.

'그래, 까짓것 내가 하자. 누가 하는 게 뭐가 중요해?'

여자는 여성이 먼저 프러포즈를 했다는 글들이 올라

간 블로그들을 꼼꼼히 살피고 지식 검색의 도움을 얻어 구체적인 계획과 장소를 설정했다. 그러다 보니 목표로 삼은 D-Day가 금세 다가왔다.

여자는 남자에게 전화를 걸어 프러포즈 이벤트가 행해질 카페로 불러냈다. 언제나 여자의 말을 순순히 따랐던 남자는 한 시간 뒤에 그곳에 도착하겠노라고 약속했다. 그사이 여자는 카페에서 부지런히 이런저런 세팅을 했다. 아이패드는 자신의 에코백에 단단히 넣어 두었고 동원한 친구들은 테이블에서 조금 떨어진 직원 휴게실에 대기시켜 두었다. 프러포즈와 함께 남자에게 건넬 선물은 그가 눈치채지 못하도록 테이블 밑에 잘 숨겨 두었다. 남자와 오붓하게 저녁을 즐길 레스토랑의 예약까지 확인하자 드디어 약속된 시간이 다가왔다.

평소와 다를 바 없는 일상적인 데이트라 여겼던 남자는 출근했을 때 입었던 남색 정장이 땀에 젖은 모습으로 여자 앞에 나타났다.

"미안해, 많이 기다렸지?"

남자는 언제나 제 시각에 도착했건만 여자는 상투적인 말을 내뱉으며 자리에 앉았다. 둘은 아포가토를 주문해 먹으면서 이런저런 잡담들을 나누었다. 그러다 남자가 여자의 곁으로 자리를 옮겨 앉자 마침내 그녀는 준비한 프러포즈를 시작했다.

"자기야, 잠깐만."

여자는 에코백에서 이어폰을 꺼낸 다음 남자의 귀에 꽂아 주었다. 그리고 그에게 눈을 감으라고 말한 뒤 아이패드를 꺼내 동영상을 틀었다. 동영상은 며칠 전에 촬영한 것으로 유치했지만 진심이 담긴 멘트들로 가득했다.

나 혼자 밥 먹기 싫어. 나 혼자 TV 보기 싫어. 나 혼자 라디오 들으며 캔맥주 마시기 싫어. 나 혼자 잠들기 싫어.

네가 좋아하는 게임 같이하고 싶어. 네가 좋아하는 부대찌개 같이 먹고 싶어. 네가 좋아하는 야구 경기 같이 보고 싶어. 네가 좋아하는 'Westlife'의 노래 들으며 같이 잠자고 싶어. 나랑 결혼해 줄래?

남자는 뜻밖의 프러포즈에 감동했는지 동영상을 보면서 눈물을 주르륵 흘렸다. 다 보고 나서 여자를 살며시

안아도 주었지만, 남자에게선 그 어떤 대답도 들을 수 없었다. 여자는 초조한 마음이 들기 시작했다.

"네 대답은 뭐야?"

남자는 여자의 재촉에도 계속 뜸을 들였다. 그러다 겨우 간신히 입을 열었는데 그것도 좋다, 싫다는 답변은 아니었다.

"대답을 듣기 전에 먼저 알아 둬야 할 게 있어."

"뭔데?"

"요새 우리 회사가 어렵다는 건 잘 알지? 그래서 구조 조정을 하려는 모양인데 어쩌면 나 잘릴지도 몰라. 그래도 나 괜찮겠어?"

"바보야, 당연하지. 내가 언제 네 직장 보고 좋아했냐? 설마 네가 날 굶기기라도 할까 봐."

"고마워, 사랑해."

"그래서 네 대답이 뭐냐고?"

"응, 너랑 결혼할게."

남자에게서 원하는 대답을 들은 여자는 환한 웃음과 함께 테이블 밑에 꽁꽁 감춰 두었던 선물을 그에게 건넸다. 평소 그가 갖고 싶어 했던 티쏘 시계였다. 남자는 다

시 한번 크게 감격하며 여자를 힘차게 끌어안았다. 여자
는 오늘따라 남자의 품 안이 크고 따뜻하다고 여겼다. 휴
게실에서 대기하고 있던 여자의 친구들이 깜짝 등장해
폭죽과 함께 축가를 불러 주고 둘은 예약한 레스토랑에
서 감미로운 저녁을 즐기는 것으로 여자의 프러포즈 이
벤트는 막을 내렸다.

다음 날, 여자는 어제 고생한 친구들을 불러내 저녁을
샀다.

"근데 어제는 왜 그렇게 축가 타이밍이 늦었어? 걔가
결혼하겠다는 소리 못 들은 거야?"

하지만 친구들은 여자에게 동문서답을 건넸다.

"아무래도 네가 먼저 프러포즈한 건 아니었던 것 같
아. 그냥 남친이 먼저 할 때까지 기다릴걸."

"왜? 난 좋았는데. 요새 어떤 세상인데 남자가 꼭 프
러포즈해야 해? 답답한 사람이 먼저 하는 거지."

"그렇긴 한데……."

여자의 친구들은 어제 카페 휴게실에서 남자의 실직
위기 사실을 듣곤 프러포즈에 동참하는 걸 주저했다. 아
니, 더 나아가 말려야 하는 게 아닌가 하는 고민에 빠졌

다. 그러다 보니 타이밍을 놓쳤던 것이었다. 친구들은 절대 이 일을 여자에게 발설하지 않기로 약속했다.

상담

7월의 A대학 캠퍼스는 한산하다 못해 스산했다. 아무리 방학 중이라 해도 동아리방과 과방을 드나들며 우정과 사랑과 낭만을 쌓거나 도서관에 틀어박혀 학구열을 불태우는 학생들로 소란스러울 법도 하건만 A대학은 예외였다. 학생들은 철새처럼 방학이 시작되면 학교를 우르르 떠났다가 개강 즈음에 다시 우르르 돌아왔다. 터미널에 내려서도 배차 간격 한 시간의 시내버스를 타고 삼십여 분을 달려야만 도착하는 외진 곳에 자리한 A대학을 학생들은 방학 중이라도 떠나고 싶어 했다. 그래서 정문 근처에 옹기종기 모인 슈퍼와 식당, 세탁소와 문구점은 방학 기간에는 아예 문을 닫았다.

텅 빈 캠퍼스를 묵묵히 지키는 이들도 있었다. 바로 교수들이었다. 이들은 학기 중보다 방학이 오히려 바쁘고 힘들었다. 이들은 8월부터 진행될 수시 전형 준비부터 신입생 유치 홍보 포스터와 팸플릿 제작은 물론 대학 인근의 회사들을 돌아다니며 졸업생들의 취업을 부탁했다. 교육부나 지자체의 예산을 학과로 끌어들이고자 말만 그럴듯한 연구 계획서를 작성하는 한편, 교수 업적 평가도 소홀히 할 수 없어 틈틈이 소논문도 집필해야 했다.

올 초 학과장을 맡게 된 남자도 마찬가지였다. 교수에 임용된 것도 모자라 불과 일 년 만에 학과장의 자리에 오르자 가족과 지인들은 모두 남자를 부러워했다. 반면 남자는 이 사실에 그리 달가워하지 않았다. 보수는 티끌만 했는데 대신 해야 할 일은 태산이었다. 그랬기에 학과의 노교수들은 다들 이런저런 핑계를 대며 학과장을 남자에게 떠넘겼다. 남자도 물론 학과장이라는 직책의 실상을 잘 알았지만 그렇다고 거절할 수는 없었다. 자신들을 교수로 뽑아준 사람들이 바로 그 노교수들이었다. 학연과 지연으로 얽혀 있지도 않은 이방인에다 학과 발전기금도 선뜻 몇천만 원씩 내지 못한 무일푼이었는데 말이었다.

남자는 연구실에서 몇 개의 공문서를 만들며 허망하

게 오전을 날렸다. 그래도 다행히 오후에는 B물산 인사부장과의 약속 전까지 두어 시간의 자유가 주어졌다. 남자는 이를 과감히 낮잠을 자는 데 쓰기로 결심했다. 그간 며칠 동안 새벽부터 나와서 밤늦게 귀가하기를 되풀이한 터라 잠이 부족했다. 더구나 이따 인사부장을 만나면 밤늦게까지 그와 술잔을 기울여야 하는 터라 컨디션 조절이 필요했다. 스펙이 그리 대단할 수 없는 학과 졸업생을 매년 열 명씩 취업시켜 주기로 약조한 고마운 분이었다. 학장은 그럴 때만 예산을 아까워하지 말라며 법인 카드를 긁으라고 당부했다. 그렇게 부장의 입으로 들어간 양주만 아마 수십 병은 되었을 것이다.

안타깝게도 남자에겐 소소한 행복마저도 주어지지 않았다. 연구실의 허름한 소파에 기대에 한 십여 분 눈을 붙였을까? 그의 단잠을 방해하는 노크 소리가 귓가에 전해졌다. 느닷없는 불청객은 연붉은 염색의 단발머리에 학과에서 가장 큰 키를 자랑하는 여학생이었다.

남자는 여학생을 똑똑히 기억했다. 지난주에 그녀는 이곳으로 득달같이 찾아와 자신에게 부여된 학점이 불공정하다고 이의를 제기하며 정정해 줄 것을 요청했다.

몇몇 학생들도 연구실로 찾아와 이와 비슷한 액션을 취했지만 그들은 대개 을이자 제자라는 자신의 입장을 잘 알고는 읍소와 하소연을 늘어놓았다.

그러나 이 여학생은 압제자에게 자신의 잃어버린 학점을 되찾으려는 투사 마냥 당당하고 공격적이었다. 학장을 찾아가서 따지겠다는 여학생의 협박에 못 이겨 남자는 하는 수 없이 그녀의 학점을 올려 주었다. 남자의 학과만 유독 자퇴생의 비율이 높다고 학장은 남자만 보면 잔소리를 늘어놓았다. 여기에 괜히 긁어 부스럼을 만들고 싶지 않았다.

"무슨 일로 왔나?"

여학생에 대한 기억이 좋지 않았기에 남자의 목소리에는 절로 반감과 경계심이 담겼다. 하지만 지난주와 달리 여학생은 을이자 제자라는 점을 상기한 듯 공손한 태도를 취해 남자를 당황하게 만들었다.

"드릴 말씀이 있어 교수님의 귀한 시간을 이렇게 뺏었습니다."

여학생은 남자에게 문서 하나를 건넸다. 바로 자퇴 신청서였다.

"접수하려고 교학처에 들렀더니 학과장님의 날인이 필요하다고 해서요."

남자는 자신도 모르게 길고 큰 한숨을 쉬었다. 비록 악연이긴 했지만, 남자의 뇌리에 진한 각인을 남긴 여학생과의 작별이 아쉬워서가 아니었다. 예기치 못한 일거리가 하나 생겼기 때문이었다. 학장은 학과 내에서 자퇴생이 발생할 시에 상담을 통해 철저히 만류하라고 지시했다. 만약 이를 성사시키지 못하더라도 자퇴 사유를 꼼꼼히 기재한 보고서를 작성하라고 덧붙였다. 그러면서 교수들의 분발과 지방 대학의 위기를 들먹였다. 저출산과 도시 양극화에 의한 자연스러운 결과라고는 왜 언급하지 않는지 남자는 무척 궁금했으나 따져 묻지는 않았다.

남자는 여학생이 방문하기 전까지 무려 열세 명의 학생들이 내민 자퇴 신청서에 직인을 찍어 주었다. 처음에는 아무리 만류해도 학생들이 떠나자 자신이 부덕해서 그러는 것만 같아 의기소침하기도 했다. 하지만 어느새 감정이 무뎌졌는지 이젠 덤덤했다. 남자는 여학생을 설득할 생각은 없었으나 보고서는 만들어야 했기에 자퇴

하려는 이유를 물었다.

"수도권에 있는 대학으로 편입하려고요."

"왜?"

"아무래도 여기보단 집도 가깝고 취업도 잘 돼서요. 집에서 4년제를 원하기도 하고……."

"내후년엔 근처에 KTX가 뚫려 교통이 편리해질 텐데. B물산에서 매년 졸업생을 열 명씩을 취업시켜 주기로 협약을 맺어 졸업만 하면 그쪽으로 입사할 확률도 높은데. 그리고 취업이 목적이면 빨리 대학을 마치는 게 유리한 거 아닌가?"

남자는 지난 열세 명의 자퇴생들에게 늘어놓았던 멘트를 토씨 하나 틀리지 않고 고스란히 읊었다. 여학생의 대답도 지난 열세 명의 자퇴생들과 마찬가지로 짧고 간결했다.

"그래도 자퇴하겠습니다. 허락해 주십시오."

일단 만류라는 액션을 취했으며 보고서에 적을 내용까지 갖추었으니 학장의 지시에 충실히 따른 것이라 여긴 남자는 더는 묻지 않고 순순히 학과장의 직인을 찍어주었다. 방문한 목적을 달성한 여학생은 주저 없이 자리에서 일어나 문으로 향했다. 연구실을 나서기 전 여학생을 몸을 돌려 남자에게 짤막한 인사를 건넸다.

"안녕히 계십시오, 교수님. 그동안 고마웠습니다. 그리고 지난주엔 죄송했습니다. 편입에 필요한 학점이 모자라서 그랬습니다. 용서해 주십시오."

여학생으로부터 뜻밖의 사과를 받았건만 남자의 마음에는 별다른 미동이 없었다. 떠나는 마당에 무슨 말인들 못 하랴? 이런 삐딱한 생각으로 가득해서였다. 남자는 여전히 보고서 작성이라는 소소하지만 귀찮은 일거리를 안겨 준 여학생의 등퇴장이 그저 짜증 날 뿐이었다.

"에이, 좀 자려고 그랬는데 다 망쳤네. 아, 그나저나 학장이 또 보고서 올리면 지랄하고 야단일 텐데… 뭐라고 둘러대나."

남자는 툴툴거리며 컴퓨터 전원을 켜고는 보고서를 작성하기 시작했다. 7월의 A대학 캠퍼스는 오후에 접어들면서 더욱 스산한 풍경을 연출했다.

벤치

퇴근을 한 여자는 곧장 집으로 가지 않고 버스 정류장에서 내리면 바로 보이는 편의점에 들렀다. 거기서 캔맥주 두 개와 마른안주들을 내키는 대로 집은 다음 두 블록쯤 떨어진 구립 공원으로 향했다.

공원에는 마치 자신이 주인인 것처럼 여자가 늘 앉는 벤치가 있었다. 왼쪽 귀퉁이가 부서지고 다리 밑으로 잡초가 무성해 보기 흉한 터라 사람들이 잘 앉지 않는 벤치였다. 그로 인해 그곳은 언제나 그녀의 차지였다. 여자는 거기다 편의점에서 사 온 것들을 잔뜩 풀어놓고는 밤이 깊어 갈 때까지 혼술을 즐겼다. 서너 달 전부터 여자가 즐겨하는 퇴근 후의 소소한 유흥이었다.

여자는 가끔 적적함을 느낄 때도 있었다. 술을 들이켜며 핸드폰으로 페이스북을 들여다보다가 친구들이 애인이나 남편과 데이트와 해외 여행을 즐기는 사진을 감상할 때면 특히 그랬다.

'나 혼자 여기서 무슨 궁상이야.'

남부럽지 않은 직장과 외모를 지니고 있었건만 여자는 함께 술을 마셔 줄 친구나 애인이 없었다. 그런 그녀에겐 저녁 어스름과 함께 선선한 바람을 선사해 주는 구립 공원만큼 최고의 피서지는 없었다. 또한 여자의 안주를 노리고 접근하는 길고양이와 비둘기가 가끔은 외로운 여자의 좋은 술친구가 되어 주기도 했다.

여자의 술친구가 사람으로 바뀐 건 그로부터 몇 달 뒤였다. 절로 짜증을 유발했던 무더위가 어느새 물러가고 스산한 바람과 함께 낙엽들이 공원에 흩날렸다. 이런 날씨와 배경의 변화와 무관하게 그녀는 오늘도 벤치에 자리 잡고는 혼술을 시작했다.

얼마 후, 동년배로 보이는 어떤 사내가 나타나 여자의 옆 벤치에 털썩 주저앉았다. 그는 자신과 똑같은 편의점 로고가 박힌 비닐봉지에서 캔맥주를 꺼낸 다음 시원하게 들이켰다. 그의 감탄사가 온 공원을 쩌렁쩌렁하게 울렸다.

"캬~"

여자는 뜻밖의 불청객으로 인해 평소처럼 음주에 집
중하지 못했다. 대신 남자를 힐끔힐끔 쳐다보았다. 그는
보통 남자들에 비해 키가 커서 훤칠하기는 했지만 마른
체형으로 균형 잡힌 체구를 갖추진 못했다. 이발을 꽤나
오랫동안 하지 않았는지 옆머리는 귀를 덮고 뒷머리는
목까지 내려왔건만 정돈을 하지 않아 부스스했다. 깜빡
잊고 다리미질을 안 한 건지 아니면 오래 입은 건지 몰
라도 남자의 상의는 꼬깃꼬깃 구겨졌으며 물이 많이 빠
진 청바지는 본연의 푸른색을 많이 잃어 버렸다.

남자도 맥주 한 캔을 다 비운 다음에야 옆자리에 여
자가 자리하고 있음을 눈치챘다. 그도 역시 여자를 똑바
로 쳐다보지 못하고 슬쩍 엿보았다. 화이트 더블 수트와
연분홍색 치마를 입은 여자는 한눈에 봐도 방금 전까지
직업 전선에서 고군분투했던 커리어우먼임을 나타내 주
었다. 게다가 찰랑거리는 긴 생머리에 작고 갸름한 얼굴,
이를 옅은 화장으로 커버해 청순함을 더해 주는 그녀의
비주얼은 주변 남성들의 눈길을 주목시키는 데 충분했
다.

인적이 드문 공원에 낯선 이와 있다는 사실에 여자는 불편함과 경계심을 느꼈다. 그래서 남자의 눈치만 보다가 사 들고 온 캔맥주를 다 마시지도 않았는데 황급히 자리를 떴다. 여자는 단지 그날만 이런 난감한 광경이 연출되고 끝날 줄 알았다. 하지만 그녀의 예상과 다르게 남자와 조우하는 일은 계속되었다. 여자가 늘 앉던 자리에서 조촐한 술판을 벌이면 마치 약속이라도 한 것처럼 이윽고 남자가 나타나 그녀의 벤치 옆에 앉으며 똑같이 혼술을 마셨다.

이제는 경계심보단 호기심이 일었던 여자는 더는 참지 못하고 마침내 남자에게 먼저 말을 걸었다.

"그쪽은 왜 여기서 혼자 술을 드시는 거예요?"

"저기 그게… 집에 일찍 들어가기가 싫어서……."

여자는 그만 피식 웃음을 터트렸다. 자신과 똑같은 사람이 여기 또 있을 줄이야? 그 대답 한마디에 동병상련을 느끼고 어느새 경계심이 풀린 여자는 이제 망설임 없이 그동안 궁금했던 것들을 잔뜩 물어보기 시작했다.

"보니까 맨날 하이네켄하고 산토리만 마시던데……."

"제 입맛에 맞아서. 그쪽은 보니까 매번 바뀌던데. 맥주 애호가이신가 봐요?"

"애호가는 무슨… 저는 마시면 그냥 다 쓰던데요. 그래서 그냥 돌아가면서 먹어요."

여자의 말에 남자도 웃음을 지었다. 그 역시 여자에게 품었던 거리감이나 벽을 허물었다는 뜻이리라.

"그럼 이거 한번 마셔 볼래요? 파울라너인데 독일제 밀 맥주예요. 맛이 아주 진해서 그냥 쓴 맥주로만 기억되지는 않을걸요."

남자는 대뜸 자신이 사 들고 온 캔맥주를 여자에게 건넸다. 안면을 튼 지는 한 달밖에 안 되고 말을 섞은 지는 이제 겨우 첫날이었건만 여자는 낯선 사내가 주는 술은 흔쾌히 받아 마셨다.

"우웩, 더 쓴데요. 그래도 그쪽 말대로 확실한 인상을 심어 주기는 하네요."

행색은 초라하고 호감을 주는 인상은 아니었지만, 남자가 편해진 여자는 본격적으로 그와 함께 늦은 저녁까지 술잔을 기울였다. 그러면서 서로에 대해 이런저런 얘기도 나누었다. 우습게도 가족이나 친구에게 할 수 없었던 답답한 고민이나 은밀한 얘기도 남자에게는 속 시원하게 털어놓을 수 있었다. 여자는 혼술을 할 때도 풍류를 즐길 수 있지만 함께 마실 때 더욱 운치를 더해 준다는 사실을 깨달았다.

이후 여자는 따로 약속하지 않았는데도 특별한 일이 없으면 매주 화요일과 금요일 저녁에 구립 공원에서 남자와 만났다. 벤치에 나란히 앉아 서로 사 온 캔맥주와 안주를 나눠 먹으며 그날 있었던 일들을 또 다른 안주 삼아 쉴 새 없이 떠들었다. 여자는 회사에서 상사에게 부대끼고 격한 업무에 시달렸던 일들을, 남자는 그동안 번번이 취업에 떨어졌던 아픔들을 두서없이 쏟아냈다.

"야, 그것만 붙었더라면 저랑 같은 회사에 다닐 뻔하셨네요."

"그러게요. 그랬다면 좀 더 일찍 그쪽을 만났을 텐데."

"지원한 부서는 툭하면 야근이라 그러지도 못했을걸요."

여자는 깊어 가는 가을밤을 공원 벤치에서 수입 캔맥주와 값싼 마른안주, 그리고 비루하고 쓰잘머리 없는 일상들을 화제로 삼으며 남자와 나란히 함께했다. 아직 남자의 이름과 나이도 모르고 그래서 매번 존칭과 함께 '그쪽'이라고 불렀지만, 여자는 그런 건 상관없었다. 굳이 상대에 대해 시시콜콜 알아 가며 부담감을 갖긴 싫었다. 그저 집에 일찍 들어가기 싫은 날 함께 자리해 술 상대가 되어 주면 그걸로 족했다.

남자가 조심스레 말을 걸었다.

"혹시 게임 좋아하세요?"

"게임이요?"

"길 건너편에 오락실이 하나 있는데 거기 '좀비 시티'라는 게임이 있거든요. 매번 혼자 해서 심심했는데……."

"아, 거기 알아요. 몇 번 들렀었거든요. 코인 노래방에. 그럼 다음번엔 2차로 거기서 오락도 하고 노래도 부를까요?"

해가 어스름하게 저물 무렵, 아름드리 은행나무와 전나무로 둘러싸인 구립 공원에서 여자는 홀로 술을 마시며 풍류를 즐겼다. 그렇지만 남자와 함께 마실 때 더욱 운치를 더해 준다는 사실을 깨달았다.

콘센트

리모델링 공사로 인해 9월 30일까지 도서관을 잠정
적으로 폐쇄합니다.

구민 여러분들께 불편을 끼쳐드려 대단히 죄송합니
다.

조속한 시일 내에 공사가 완료될 수 있도록 최선을
다하겠습니다.

평소와 다름없이 구립 도서관을 찾은 여자는 공고를
보자 낭패라는 표정을 지었다. 시원한 에어컨 바람을 무
상으로 제공하는 쾌적한 공간을 찾아야 한다는 숙제가
주어졌기 때문이었다. 여자의 자취방에도 물론 에어컨
이 있었으나 그녀는 단 한 번도 이를 사용한 적이 없었
다. 전원 버튼을 누르는 데도 그녀에겐 용기와 결단이 필

요했다. 월세와 각종 공과금을 내기에도 빠듯한 실정에 누진세라는 이름의 전기료 폭탄을 투하시키려면 그만한 각오가 필요했다.

그래도 여자는 수소문 끝에 단 이틀 만에 새로운 장소를 발견했다. 그곳은 도서관보다는 다소 멀었지만 시원한 에어컨 바람이 빵빵 나와야 한다는 그녀의 제1 조건은 충족시켰다. 그곳은 바로 ○○역 사거리에 위치한 성당 1층 라운지였다. 신자들을 위해 조성된 공간이었지만 그렇지 않은 이들의 출입과 사용을 제한하지 않았기에 여자는 곧장 그곳으로 발걸음을 옮겼다.

다만 아쉬웠던 점은 애당초 라운지가 신자들의 사교와 친목 도모를 위해 만들어진 곳인 만큼 콘센트가 턱없이 부족했다. 그 넓은 공간에 콘센트라고는 달랑 두 구만 설치되어 있었다. 그나마 하나도 입구에 자리한 수족관의 산소 공급기 어댑터와 연결되어 있었다. 따라서 노트북으로 인강을 봐야 하는 여자에겐 마지막 남은 한 구의 콘센트를 확보하는 것이 무엇보다 중요했다.

그래도 처음 며칠간은 콘센트 바로 옆에 놓인 테이블이 비어 있어 그곳을 점유하면서 자연스럽게 이를 해결했다. 그런데 얼마 후부터 그곳을 동년배로 보이는 남자가 먼저 차지하면서 곤란한 지경에 놓였다. 라운지 내에 비어 있는 테이블은 많았으나 노트북 전원선이 콘센트에 닿지 않아서 있으나 마나였다.

애써 무겁게 들고 온 노트북으로 인강을 볼 수 없는 날들이 많아지자 여자는 점점 남자에게 불만을 품었다. 그렇다고 이를 그에게 대놓고 토로하진 못했다. 일면식도 없는 사이이니 말을 붙이는 것도 꺼렸던 데다 무엇보다 테이블에 주인이 있었던 것도 아니니 만약 먼저 차지하는 사람이 임자가 아니냐고 남자가 항변하면 딱히 둘러댈 말도 없었다.

여자는 어떻게든 테이블을 먼저 차지하고자 예전보다 훨씬 일찍 라운지로 향했다. 그러한 노력이 빛을 발해 그날은 여자가 테이블을 점령할 수 있었다. 하지만 단 하루로 끝이었다. 다음 날 같은 시각에 그곳에 갔을 때는 다시 남자가 자리를 떡하니 차지한 뒤였다.

그로부터 일주일간은 콘센트 옆 테이블을 둘러싼 여자와 남자 간의 말 없는 전쟁이 펼쳐졌다. 여자가 테이블을 차지한 다음 날은 남자가 그보다 일찍 나타나 이를 되찾는다. 분개한 여자가 다음 날 훨씬 더 일찍 나타나면 남자도 이에 질세라 여자보다 라운지에 당도하는 시각을 앞당긴다. 그렇게 테이블의 주인은 수시로 바뀌었다.

8월 첫째 주가 되어서야 둘의 전쟁은 막을 내렸다. 상대방보다 일찍 나타나기를 반복하다 보니 어느새 라운지 개장 시간 전까지 이르렀다. 아직 굳게 닫힌 라운지 정문에서 둘은 그제야 상대방에게 말을 텄다.

"아니, 그쪽은 왜 그렇게 그 테이블을 고집하는 거예요?"

"아, 제가 오전에는 인터넷 구직 사이트를 들여다보거든요. 그게 일과라. 그래서 노트북을 사용하려면 콘센트가 옆에 비치된 그 자리에 반드시 앉아야만 해서……. 그러는 그쪽은요?"

"저도 노트북으로 인강 봐야 한단 말이에요. 그쪽 때문에 밀린 인강이 대체 몇 개인 줄 아세요?"

"9월 말까지만 사정 좀 봐주세요. 실은 제가 평소 드나들던 구립 도서관이 공사 중이라 이곳으로 온 거거든요."

"네? 저도 그래서 온 건데……."

"아, 그러세요?"

"근데 우리는 왜 그곳에서 서로를 한 번도 보지 못했을까요?"

한참 짜증이 가득 섞인 말로 날 선 공방을 벌이다 같은 도서관을 드나들던 동지라는 사실을 파악한 둘은 묘하게 감정이 풀리는 기분을 느꼈다. 구립 도서관의 열람실은 둘처럼 아직 주변으로부터 구박과 무시를 받는 이 땅의 불쌍한 청춘들을 말없이 받아 주는 고마운 곳이었다. 여름에는 시원한 에어컨 바람을 빵빵 틀어 주면서 말이다. 그곳을 드나들었다는 사실 하나만으로 둘 사이에는 일종의 동지애가 형성됐다.

그러다 보니 둘의 대화는 아까보다 많이 누그러졌다. 그리고 어떡해서든 상대방을 꺾기보다 공존을 모색해 보게 되었다.

"그럼 이렇게 하면 어떨까요? 하루씩 그쪽과 제가 서로 번갈아 가며 테이블을 사용하는 것이?"

여자는 남자의 제안을 금방 수용했다. 오로지 테이블을 혼자 독차지할 수 없다면 그게 가장 현명한 방법임을 굳이 머리를 굴리지 않아도 알 수 있었다.

"그럼 오늘은?"

여자의 물음에 남자는 천진난만한 웃음을 지으며 대답했다.

"가위바위보 어떤가요?"

여자는 그만 피식 웃음을 터트렸다. 어이가 없긴 했지만 그렇다고 기분이 불쾌한 건 아니었다. 그래, 하루쯤은 져도 좋으니 운에 맡겨 보는 것도 좋겠지.

"좋아요, 대신 졌다고 딴소리하기 없기에요."

운 좋게도 가위바위보의 승자는 여자였다.

둘은 약속대로 다음 날부터 하루씩 번갈아 가며 콘센트 옆 테이블을 사용했다. 10월 초에 다시 구립 도서관으로 돌아갈 때까지 그들은 이를 준수했다.

술자리

여자가 학과 행사에 참여한 것은 처음이었다. 그녀가
재학 중인 C대학 문창과는 학기 초와 학기 말에 각각 신
입생 오리엔테이션과 종강 총회를 개최했다. 행사라고
해서 거창한 식순이나 프로그램이 있었던 건 아니었고
그저 교수와 학생들이 한데 어울려 술자리를 벌이는 정
도에 불과했다.

여자는 알바를 뛰느라 매 학기 학과 행사에 번번이
불참했다. 그러다가 3학년 2학기가 되어서야 겨우 얼굴
을 들이밀었다. 더 늦게 전에 학생으로서 학과 행사에 참
여해야 한다는 의무감에 비롯된 건 아니었다. 때마침 알
바를 하던 카페를 그만두게 되어 시간이 남았던 까닭이
었다.

2006년 1학기 종강 총회는 백 명도 거뜬히 들어갈 수

있는 학교 근처의 감자탕집에서 열렸다. 여자는 행사 시작 시간에 얼추 맞춰 그곳에 당도했다. 이미 그곳은 일찍 온 이들이 각자 자리를 차지하고 앉아 식사와 음주에 돌입하던 중이었다. 그녀가 바라본 식당 안 풍경은 마치 얼마 전에 참석했던 취업 박람회를 연상케 했다. 여섯 명이 앉을 수 있는 테이블마다 다른 이들을 리드하거나 그들의 관심과 주목을 받는 주인공들이 한 명씩 존재했다.

첫 번째 테이블의 주인공은 탤런트 지성을 닮은 외모에 얼마 전 교내 신문사가 주관한 문학상을 수상해 후배 여학생들의 흠모를 한몸에 받던 학과 조교였다. 아니나 다를까 그 테이블에서도 조교를 둘러싸고 있는 건 전부 여자 후배들이었다.

"야, 아직 그 작가의 소설을 안 읽었어? 90년대 미국 문단을 뒤흔들었던 뛰어난 작품인데 말이야."

"작가가 되겠다면 필사를 적어도 백 번은 해야지. 나? 난 삼백 번이 넘었을걸?"

"형식주의의 관점에서는 지적할 게 많지만, 역사주의 비평으로 바라보면 작가의 인생관이나 주제 의식을 바라볼 수 있는 아주 훌륭한 작품이지."

조교는 연신 맥주잔을 들이켜며 자신이 알고 있는 지식들을 쉴 새 없이 떠들어댔다. 여자가 보기엔 그저 허세에 불과해 보였지만, 어린 후배들은 눈을 반짝거리며 그의 말을 하나도 빼놓지 않고 경청했다.

"아주 애들을 꼬시려고 작정했네. 보아하니 저들 중에서 누구 하나 오늘 박 조교랑 같이 자겠다."

여자의 맞은편에 앉은 동기가 조교가 자리한 테이블을 힐끔힐끔 쳐다보며 툴툴거렸다. 학과의 아웃사이더로 전락한 여자에게 유일하게 남은 친구였다. 아마 그녀가 여기 오자고 하지 않았더라면 설령 시간이 남아돌았더라도 결코 오지 않았으리라.

"저쪽도 애들이 알랑방귀 뀌고 지랄들이네."

두 번째 테이블에서는 얼굴에 절로 관록이 느껴지는 고학번 선배가 주인공이었다. 그곳에는 주로 졸업이 얼마 남지 않은 선배들이 몰려 있었다.

"아, JU전자 홍보실에서 인턴을 한 경력이 있다고? 그럼 내가 준 명함에 적힌 메일로 이력서 보내 봐. 팀장에게 검토해 보라고 지시할 테니까."

"우리 출판사로 장편 소설을 투고할 계획이라고? 그

럼 회사 홈페이지 이용하지 말고 내 메일로 보내. 읽어 보고 괜찮으면 편집장한테 출간 진행하라고 얘기해 볼 테니까."

최근 잇달아 출간한 책이 베스트셀러에 오르며 인지도와 회사 규모를 확장해 나가던 출판사의 대표인 고학번 선배에게는 새파랗게 어린 후배들의 청탁이 쏟아졌다. 그는 귀찮아하거나 거절하지 않고 모두에게 번쩍번쩍 빛나는 명함과 함께 긍정적인 답변을 던져 주었다. 그러면 후배들은 갖은 애교와 아양을 떨면서 그에게 술잔을 따라주거나 안주를 건네주기 바빴다.

"저러려고 여기 온 거겠지? 나도 저런 선배가 되어야 할 텐데."

동기는 고학번 선배를 향해서는 부러움이 가득한 눈빛을 보냈다.

"너도 출판사 쪽으로 일하고 싶다고 했잖아. 저쪽으로 건너가서 널 어필해 보는 건 어때?"

여자는 진지한 표정으로 동기에게 용기와 격려가 담긴 말을 건넸다. 하지만 그녀는 무겁게 고개를 가로저었다.

"됐어. 낯간지럽게 내가 어떻게 저런 애교를 떠냐?"

세 번째 테이블에서는 합석한 이들이 주인공을 향해 읍소와 하소연을 이었다. 주인공은 바로 학과장이었다.

"이번에는 졸업할 수 있는 거죠? 학위가 있어야 지원이 가능하다는데 이번에도 미끄러지면 정말 곤란해요."

"제발 학점 좀 올려 주세요. 그래야 다음 학기 장학금 신청이 가능하단 말이에요. 제발요."

노교수인 학과장은 여학생들이 자신에게 떼를 쓰거나 투덜대는데도 귀여운 강아지를 바라보는 것처럼 흐뭇한 표정을 지었다. 그러면서 그들의 손을 쓰다듬거나 어깨와 등을 토닥거렸다.

"쟤네들 정말 밥맛이지 않냐? 평소에 잘할 것이지. 학기 중에는 불편하다고 교수님이 밥 먹자고 해도 쌩까던 년들이."

동기는 이제 툴툴거리는 대상을 그들로 변경했다. 어느새 감자탕을 다 비운 그녀는 이제 본격적으로 맥주에 소주를 말아서는 거침없이 들이켰다.

그러나 오늘 종강 총회의 진정한 주인공은 결혼을 발

표한, 여자의 또 다른 동기였다. 뒤늦게 참석한 그녀는 지도 교수를 뵙고는 청첩장을 건네며 다음 달에 식을 올릴 예정이라고 알렸다. 남편은 장래가 촉망받는 신임 검사라고 했다. 지도 교수는 아쉬운 표정을 가득 지으며 청첩장을 받았다.

"아쉽네. 장차 우리 학과를 빛낼 소설가가 될 거라 믿어 의심치 않았는데."

"결혼해서도 열심히 쓸 게요. 믿어 주세요, 교수님."

그녀는 아무도 자리하지 않던 빈 테이블에 가서 앉았다. 그렇지만 아무도 그녀를 외롭게 만들지 않았다. 금방 주위에 자리했던 선후배들이 우르르 몰려들면서 그녀에게 꼬치꼬치 캐물었다.

"아직 졸업도 안 했는데 결혼해도 괜찮아?"

"에이, 한 살이라도 젊었을 때 하는 게 좋지 뭐."

"남편이랑은 어떻게 만난 거야?"

"우와, 조만간 검사 사모님 소리 듣겠네. 좋겠다."

"남편 동료들 중에 괜찮은 사람 없어? 나도 너처럼 취집할까 봐."

그녀는 정답게 이들과 수다를 떨며 환한 웃음꽃을 피

웠다. 그게 그녀의 미모를 더욱 돋보이게 만들었다. 여자의 또 다른 동기는 이를 보고 어떠한 평도 내놓지 않았다. 연거푸 소맥을 들이킨 동기는 무에 그리 지치고 졸렸는지 그대로 테이블에 엎드려 잠이 들었다.

결국 수많은 이들에게 둘러싸였건만 여자는 혼술을 마셨다. 아무도 여자에게 다가와 말을 걸어 주지 않았고 그렇다고 그녀가 먼저 그들에게 다가가 말을 걸기도 싫었다. 학과의 아웃사이더로 전락한 여자에게 이는 익숙한 풍경이었다.

"혹시 자리 있나? 둘러보니 빈 곳이 여기밖에 없네."

후줄근한 세미 정장 차림의 남자가 조심스럽게 여자에게 다가와 말을 걸었다.

"아뇨, 없는데요."

남자는 여자가 허락의 의사를 표하자 즉각 자리에 앉아서는 남아 있는 밥과 반찬으로 식사를 했다. 여자는 조심스레 그의 빈 잔에 맥주를 채워 주었다.

"못 보던 친구인데……."

"종강 총회는 처음 참석했어요."

"어, 그래?"

"어디 다녀오시는 길인가 봐요?"

"오늘 A대학에서 강의가 있던 날이거든. 외지에 자리해서 이제야 왔네. 얼른 KTX가 뚫려야 다니기가 편할 텐데."

소설을 쓰면서 근근이 강의를 나가 먹고산다는 남자는 그날 여자의 술친구와 말동무가 되어 주었다.

재회

모처럼 과음을 한 남자는 쓰린 배를 움켜잡고 회사로
출근했다. 그는 어젯밤 늦게까지 회사 인근에 자리한 A
대학의 학과장과 술잔을 기울였다. 남자의 전임은 학과
장과 매년 졸업생 열 명씩을 회사에 취업시켜 주기로 협
약을 맺었던 모양이었다. 그런데 인사 담당자가 남자로
바뀌자 학과장은 불안함을 느꼈는지 한달음에 달려와
접대를 베풀었다. 남자는 꼭 술을 얻어먹어서가 아니라
굳이 깰 이유가 없으니 협약을 준수하겠다고 말해 그를
안심시켰다.

남자는 이런 날이면 가끔 맛있진 않아도 아침 식탁에
콩나물국을 대령해 주는 마누라가 있었으면 하는 생각
을 했다. 편의점에서 파는 꿀물 음료로 겨우 속을 달래
며 살짝 푸념을 하자, 이를 들은 총무부장이 핀잔을 늘

어놓았다.

"그러게 왜 청승맞게 혼자 지내? 참한 여자 하나 소개해 줘?"

남자는 언제나처럼 고개를 가로저었다. 비록 지방에 자리한 중소 기업이긴 했지만 이제 고작 삼십 대 중반의 나이에 부장의 자리에 오른 남자에게는 이런저런 중매가 많이 들어왔다. 그는 그때마다 이를 모두 거절했다. 조건을 까다롭게 따져 주선 상대가 박색하거나 조건이 부족해서는 아니었다. 그냥 과음을 하여 속이 쓰린 날만을 제외하고는 마누라의 필요성을 아직 잘 느끼지 못했다.

"취준생 시절에 헤어졌다는 그 여자 아직도 못 잊어서 그래?"

쓸데없이 남자에 대해 많이 알고 있던 총무부장은 이번에도 굳이 남자가 탐탁지 않아 하는 그의 지난 과거를 들추었다. 같은 부장 직급을 달았지만, 연배는 훨씬 위인 총무부장에게 남자는 감히 뭐라 할 수는 없고 살짝 얼굴을 찌푸리는 것으로 싫은 내색을 보였다.

"이번에 지원한 신입 사원들의 이력서와 자기소개서

책상 위에 올려 두었습니다."

인사부 사무실로 돌아오니 지난달에 갓 승진한 여자 대리가 낭랑한 목소리로 남자에게 일거리를 갖다 놓았음을 알렸다. 그는 지난주 월요일에 시작해서 어제 마감한 신입 사원 채용 모집에 지원한 응시자들의 서류를 검토해야만 했다. 지방의 외진 곳에 위치했지만, 몇 해 전에 KTX가 뚫리면서 교통이 편리해지고 칼퇴근 보장에 동종 업체 중 제일 높은 연봉을 자랑한다는 입소문이 퍼진 B물산에는 매년 대기업 부럽지 않은 지원자들이 몰려들었다. 그래서 말단 직원들이 일단 1차로 한 번 추렸건만 담당자인 남자가 봐야 할 서류들은 꽤나 두툼했다. 하지만 일찍 귀가하라고 닦달하는 마누라도 없는 남자는 쿨하게 오늘도 야근할 것을 결심했다.

서류를 한 절반쯤 검토했을까? 남자는 낯익은 증명사진이 붙은 이력서를 발견했다. 환하게 웃고 있는 건 물론 뾰로통한 표정마저 사랑스러웠던 그녀가 틀림없었다. 뜻밖에 이력서로 여자와 다시 재회하자 남자는 반가운 한편 당황스러웠다.

'왜 이곳에 지원한 거지? JU전자에 다니고 있었던 거

아닌가?'

　남자의 궁금증은 실은 이력서만 꼼꼼히 살펴보면 금방 해결될 수 있었다. 경력 사항란에 여자는 몇 년 전 여름에 JU전자를 퇴사한 거로 기재했다. 사실 사장은 얼마 전 주간 회의 시간에 남자를 따로 불러 이번 신입 사원의 연령은 되도록 20대였으면 좋겠다는 뜻을 노골적으로 밝혔다.

　"나이 차별이 아니라……."

　사장은 남자가 따지지도 않았는데 지레 변명을 늘어놓았다.

　"이미지 관리 차원에서 그래. 젊은 직원들을 많이 뽑아서 대외적으로 꿈과 비전을 가진 인재들이 많이 모이는 곳으로 홍보하면 좋잖아."

　따라서 JU전자에서 삼 년간 근무한 경력은 출중했으나 이미 삼십 대 중반에 이른 여자는 사장이 꺼려 할 만한 대상자였다. 하지만 남자는 여자를 면접 대상자로 분류했다. 이를 보고받은 사장은 의외로 아무런 말이 없었다. 그는 남자가 구색 맞추기로 여자를 면접에 올린 것이라 지레짐작했던 까닭이었다.

사흘 후에 B물산의 면접이 진행되었다. 여자는 모처럼 은근히 짙은 화장에 검은색 슬림 핏 린넨 재킷으로 몸매를 한껏 과시하고 자신감 넘치는 표정으로 면접장에 나타났다. 거기서 그녀는 오랜만에 옛 연인과 다시 재회했다. 면접관과 면접자라는 신분의 차이가 존재하긴 했었지만.

"잠깐만 회사 앞에서 기다려 줄래."

남자는 면접을 마치고 돌아서는 여자에게 잠시만 시간을 내줄 것을 요청했다. 여자는 그의 청을 순순히 들어주었다. 그 고장에서는 꽤나 크고 알아주는 기업이지만 전국으로 놓고 보면 아직 왜소하기 짝이 없는 B물산은 본사로 쓰는 건물 역시 그러했다. 따라서 로비 같은 건 마련되어 있지 않아 둘이 다시 만난 장소는 길 건너편에 자리한 편의점의 테이블에서였다.

"여기서 보게 될 줄 몰랐어. 시험에 붙어서 어느 동사무소의 직원이 되어 있을 줄 알았는데……."

"네가 JU전자에 들어가던 해에 때려치우고 이곳에 들어왔어. 오 년이나 버티는 직원들이 없다 보니 얼떨결에 부장까지 되고 말았네."

"잘됐네."

"JU전자는 왜 그만두고 이곳에 지원한 거야?"

"그만두고 싶어 그만뒀겠어? 정부의 공적 자금이 투여되고 한참 어려웠던 때 있었잖아. 그때 명예퇴직 신청했어. 실은 잘린 거지만."

"남편하고 자식들은 잘 있지?"

"남편은 그때 살아남긴 했는데 간당간당해. 더는 집에서 살림만 하고 있을 순 없어서……."

남자는 여자의 남편을 예전에 얼핏 본 적이 있었다. 회사 로비에서 여자를 기다렸을 적에 당시엔 동료 직원에 불과했던 그녀의 남편은 여자의 뒤에서 반갑게 달려와 그녀에게 고급 테이크아웃 커피를 건넸었다.

모처럼 만난 둘의 대화는 무척이나 건조하고 딱딱했다. 반갑긴 했으나 설레진 않았고 감상에 빠지긴 했지만, 우수에 젖을 정도는 아니었다. 더는 여자를 붙잡을 대화의 소재가 부족해진 남자는 준비한 마지막 멘트를 꺼냈다.

"내 입으로 이런 말 해서 뭣한데… 아마 채용되진 못할 거야."

"알아. 대기실에서 다른 이들 보니까 다들 젊더라. 내가 사장이라도 그런 사람들을 뽑겠지. 나이 많고 유부녀인 나보단……."

여자는 의외로 순순히 자신의 결과를 승복했다. 예전에 부정 청탁 음모론을 운운할 때에 비하면 그야말로 격세지감이었다.

"미안해. 아무런 힘이 되어 주지 못해서."

"아냐, 역시 백이 있으면 좋긴 하구나. 결과도 미리 알 수 있고."

"어떡할 거야?"

"어떡하긴. 부지런히 다른 데 알아봐야지."

여자는 예매해 놓은 열차 시각이 다 되었다며 그만 자리에서 일어섰다. 이제 다시 두 사람에겐 헤어져야 할 시간이 찾아왔다.

"고마워. 이건 너한테 주는 선물이야."

여자는 아까부터 손에 쥐고 있었던 것을 남자에게 건넸다. 남자가 취준생 시절부터 자주 즐겨 마시던 브랜드의 캔커피였다.

"이건 지금도 원 플러스 원 행사를 하더라. 고마워."

여자는 이런 말과 함께 뒤돌아선 다음 서서히 남자에게서 멀어졌다. 남자는 말없이 그녀를 보내주었다. 남자의 손에 쥐어진 캔커피는 온장고를 벗어난 지 오래되어서 그런지 미지근하게 식어 있었다.

출근

전화를 받은 여자는 당혹스러운 표정을 지었다. 그러곤 이내 소리를 질렀다.

"누구 맘대로 휴가를 가냐고!"

이전까지 맴돌았던 사무실의 정적을 단숨에 깨트린 그녀에게 모든 사원들의 이목이 집중되었다. 하지만 벌겋게 상기된 그녀의 얼굴을 보고는 대체 무슨 일이냐며 용기 있게 질문을 건네는 사원은 없었다. 여자는 사무실에서 두 번째로 서열이 높았다. 나이로든 직책으로든.

"무슨 일인데 그래?"

결국 부장이 사원들을 대표해 자초지종을 여자에게 물었다. 그녀는 겸연쩍은 표정으로 안면을 변신했다. 부장에게 또 아쉬운 소리를 늘어놔야 하는 까닭이었다.

"저희 애가 유치원에 혼자 있다고 연락이 와서요. 원

래 미술 학원에서 걜 픽업해 갔어야 했는데 이번 주가 휴가라네요. 죄송한데 데리러 잠깐 나가 봐도 괜찮을까요?"

부장은 여자의 부탁을 흔쾌히 들어주었다.

"그럼 얼른 가봐야지. 애가 얼마나 엄마를 찾겠어? 아니, 그러지 말고 급한 일 없으면 들어가. 놀란 마음에 일이 되겠어?"

부장의 배려에 여자는 연신 고개를 숙이며 고맙다고 말한 다음 황급히 사무실을 빠져나갔다. 이윽고 부장도 사장의 호출을 받고는 뒤를 따랐다. 둘이 사라지자 인사부 사무실의 사원들이 삼삼오오 모여 험담을 주고받았다. 실내는 순간 시끄럽기 짝이 없는 시장 바닥으로 변했다.

"김 과장님 상습적으로 저러는 거 아냐? 꼭 월말에 일 많을 때면 저런 식으로 빠지더라."

"이거 애 없는 사람은 어디 서러워서 살겠나? 나도 핑계 대고 빠질 애가 있었으면 좋겠네."

"부장님은 대체 착한 거야, 아니면 멍청한 거야? 한 번쯤 딱 부러지게 야단을 쳐야지. 왜 김 과장님 장단에 놀아나느냐고?"

"싱글이라 뭘 몰라서 그래. 주변에서 하도 요새 워킹 맘이 힘들다고 떠들어 대니까 착한 상사 코스프레 하려고 저러는 거야."

"그래도 이따 들어오겠죠? 신입 사원 채용 공고 광고와 홍보 포스터 내일까지 컨펌하려면."

"퍽이나 들어오겠네. 커피 쏘기 내기할까? 들어오는지 안 들어오는지?"

내기를 제안한 여자 대리는 결국 동료들로부터 커피를 얻어 마셨다. 그런데 그녀가 오늘따라 여섯 시에 칼퇴근을 하지 않았다면 오히려 커피를 사 줘야 했을 수도 있었다. 저녁 여덟 시가 넘어 B물산 사무실 이곳저곳에 어둠이 내려앉을 때쯤 여자는 지친 몸을 끌고 자신의 자리로 돌아왔다. 아직까지 사무실을 지키던 부장이 그런 그녀를 맞아주었다.

"아니, 들어가라니까 왜 나왔어?"

"내일까지 광고랑 홍보 포스터 컨펌해서 기획실에 넘겨야 하잖아요. 오늘 제가 빠져서 프로세스에 차질 있었을 텐데……."

"아, 그거. 실장님한테 얘기해서 모레로 늦췄어. 그래서 직원들도 그냥 다 칼퇴 시켰는걸. 그러니까 김 과장도 이만 들어가."

여자는 항상 부장에게 고마움을 느꼈다. 애들 문제로 회사 일에 지장을 준 적이 한두 번이 아니었건만 그는 한 번도 짜증을 내거나 잔소리를 한 적이 없었다.

"애 키우면서 직장 다니는 게 어디 보통 일이야? 힘들면 언제든 말해."

오히려 이렇게 말하며 여자를 격려했다. 부하 직원들이 구시렁거리는 대로 착한 상사 코스프레를 하는 건지도 몰랐지만 설령 그렇다 치더라도 여자는 부장을 존경했다.

"그럼 이왕 온 김에 내일 할 일 미리 하고 김 과장은 오후에 출근해. 미술 학원이 휴가라니 그 문제는 해결하고 나와야 홀가분할 것 아냐?"

"고맙습니다."

부장의 말이 옳았던지라 여자는 제안을 받아들였다. 그런 까닭에 여자는 한밤중이 다 되어서야 귀가했다.

"내일 처가에 들른다고? 장모님께 너무 느닷없이 폐

끼치는 거 아냐?"

여자의 늦은 귀가를 맞이한 남편은 아내가 퇴근길에 궁리해 낸 외동딸의 유치원 통원 문제 해결책에 부정적인 반응을 내놓았다.

"그럼 당신이 내일 결근하고 애들 데려다줄래?"

여자의 말에 남자는 아무런 대꾸를 할 수 없었다. 때마침 TV에서는 여성가족부의 출산 장려 캠페인 광고가 흘러나왔다. 여자는 리모컨을 거칠게 눌러 채널을 돌렸다.

날이 밝자 여자는 어린 딸과 사이좋게 유치원으로 향했다. 예전에는 집 앞에서 허겁지겁 딸을 유치원 통학 버스에 욱여넣고는 매정하게 회사로 출근했었다. 엄마의 손을 붙잡은 딸의 얼굴에 웃음이 가득했다.

"뭐가 그렇게 즐거워?"

"엄마랑 이렇게 나란히 출근해서 좋아."

여자의 가슴 한편이 찌릿찌릿했다.

"그러지 말고 이참에 그만두는 게 어떠니? 애한테도 그렇고 너한테도 몹쓸 짓이다."

여자는 모처럼 들른 친정에서 엄마에게 익숙한 잔소

리를 들었다.

"또 그 소리. 하원이 데려다주기 싫으면 싫다고 그냥 말해."

그녀의 타박에 엄마는 목소리가 수그러들면서도 끝까지 할 말은 다 했다.

"무슨 회사가 사내에 탁아 시설이 없어 사람을 이리 귀찮게 하니? 그리고 육아 휴가 그런 것도 없지? 그러니까 내가 거지 같은 회사에 들어가지 말라니까."

"우리 회사가 어때서?"

여자는 자신의 직장인 B물산에 불만이 없었다. 자신의 일에 재미와 보람을 느꼈으며 이를 알아준 회사는 높은 연봉과 직책으로 그녀를 대우해 주었다. 자신의 처지를 늘 헤아리고 배려해 주는 부장과 같은 좋은 상사도 있었다.

그럼에도 불구하고 누군가에게 여자의 회사는 거지 같은 곳일 뿐이었다. 여자는 불현듯 대한민국에서 거지 같지 않은 직장은 어디일까 궁금해졌다.

역시 주민 센터뿐인가?

에필로그

　여자의 어머니는 그녀가 만나는 지인들을 대부분 폄하했다. 여자에게 하등 도움이 되지 않는 쓰잘머리 없는 인간들이라며 제발 도움이 되는 구석이 하나라도 있는 인간들을 사귀라고 잔소리했다.

　여자는 어머니가 지인들이 쓰잘머리가 있고 없음을 어떻게 나누는지 명확히 알지 못했다. 다만 어머니가 퍼붓는 잔소리를 통해 유추할 따름이었다.

　"그 사람은 대체 나이가 몇 살인데 아직도 공무원 시험에 매달리니? 그쯤 했으면 크든 작든 어느 회사라도 들어가 돈을 벌어야지. 애인이나 가족들은 뭐라고 안 하니?"

　"그래서 얼마 전에 조그만 회사에 들어갔어."

　"그리고 걔는 또 왜 그러니? 요새 얼굴만 반반하면

연예인이 된다던? 그런 애들이 널리고 널렸는데. 조용히 학교나 졸업해서 괜찮은 남자 만나 시집이나 갈 것이지."

"걔가 노래를 잘해. 좋은 기획사 만나고 운만 조금 트면 잘나갈 텐데."

"그런 애가 하나 더 있구나? 소설 쓴다는 언니 말이야. 그거 써서 먹고 살 수는 있대?"

이 밖에도 어머니 입에서 잘근잘근 씹히는 여자의 지인들은 넘쳐났다. 프로 야구 선수라고는 하는데 도통 TV에서 볼 수 없는 무명의 야구 선수, 편의점 알바를 하는 여자의 동갑내기 남사친, 시간 강사를 전전하는 여자의 오래된 선배 등등.

여자가 유추한 바에 따르면 어머니가 쓰잘머리 없다고 평한 사람들은 대개 변변한 직장이 없거나 결혼하지 못했거나 혹은 남들에게 그런 지인을 알고 있다고 내세우기 민망하다는 공통점을 지녔다.

"제발 쓰잘머리 있는 놈들과 친해지란 말이야."

어머니가 정의하는 쓰잘머리란 성별에 따라 차이를 보였다. 남성일 경우는 애인이나 남편으로 발전할 가능성이 있어야 했다. 물론 가능성만 보지는 않았으며 남자의 외모, 집안, 학벌 등도 보았다. 여성일 경우에는 여자에게 여러모로 물질적인 혜택을 줄 수 있어야 했다. 그들 스스로가 능력이 있어서 그리 해줘도 좋았고 아니면 그녀의 남편이나 집안이 그리 해줘도 좋았다. 쓰잘머리 있는 사람들을 지인으로 삼아야 한다는 게 험난한 세상을 헤쳐 나가는 비결이라고 어머니는 누누이 강조했다.

여자는 어머니의 신념이나 가치관을 탐탁지 않게 여겼다. 쓸모와 무쓸모라는 잣대로 사람들을 구분 짓고 골라 사귄다는 게 그녀의 천성에 맞지 않았다. 설령 무쓸모여도 자신이 괴롭거나 힘들 때면 언제든 달려와 위로해주며 함께 술잔을 기울일 수 있으면 그걸로 족했다. 어머니가 쓰잘머리 없다고 평한 여자의 지인들은 대부분 그러했다. 여자는 이들과 오래도록 친분을 유지해 나갔다. 어머니의 잔소리 포화 속에서도 꿋꿋하게 말이다.

교통사고로 여자의 아버지가 세상을 떠나셨을 때도 여자의 지인들은 한달음에 달려왔다. 이들은 발인할 때까지 장례식장을 지키며 여자를 위로하고 이런저런 일들을 도왔다. 어머니의 기준에서는 쓰잘머리가 있으니

친하게 지내라고 했던 지인들이 갑작스러운 여자 부친의 부고 소식에 이런저런 핑계를 대며 오지 않거나 서둘러 가버린 것과 대조되었다.

여자 지인들의 등장은 장례식장을 술렁이게 만들었다.

"저 여자, 걸 그룹 아이니의 유하 아냐? 여긴 어떻게 왔대?"

"상주의 친한 동생이래. 그것뿐만이 아냐. 요새 박병호와 홈런왕을 다투는 D팀의 야구 선수 있잖아. 그 사람도 왔던걸."

"난 아까 소설가 이예민도 봤어."

"해외에서 무슨 문학상인가 수상했다는 그 여류 작가 말이야?"

"화환 보니까 B그룹, 세븐일레븐, C대학에서도 오고 난리던데?"

부친의 빈소로 이어지는 복도에는 수많은 화환들이 도열해 있었다. 띠에는 B그룹의 이사, 세븐일레븐의 지원사업본부 팀장, C대학교의 국어국문과 교수 등이 화환을 보냈음을 알려주었다.

"아니, 상주가 뭐 하는데 그런 사람들이 지인이래?"

"그냥 조그만 회사에 다닌다고 들었는데."

"그럼 저런 사람들을 대체 어떻게 알고 있는 거야?"

궁금하기는 여자의 어머니도 마찬가지였다. 남편의
안장을 마치고 어느 정도 기운과 정신을 차린 그녀는 장
례식장에서 조문객들이 절로 수군거리게 만들었던 딸의
화려한 인맥들에 대해 궁금해졌다.

"쓰잘머리 없는 사람들만 만나고 다니는 줄 알았더니
그런 사람들하고는 어떻게 알고 지낸 거야?"

"옛날에 엄마가 다 쓰잘머리 없다고 욕했던 사람들인
데."

"뭐?"

"있잖아, 공무원 시험에만 매달린다고 한심하게 여겼
던 오빠 말이야. 그 오빠가 B그룹 이사잖아. 졸업하면 괜
찮은 남자 만나서 시집이나 가라고 했던 애가 바로 아이
니의 유하, 소설이나 쓰고 자빠졌다는 언니가 이예민, 도
무지 TV에서 볼 수 없다는 녀석이 요새 홈런왕 경쟁을
벌이는 그 야구 선수, 편의점 알바 말고는 할 줄 아는 게
없냐고 했던 친구가 이번에 팀장으로 승진한 걔고. C대

학 교수님은 엄마가 절대 저런 남자는 만나지 말라고 신신당부했던 그 선배."

여자의 어머니는 그만 놀란 입을 다물지 못했다. 아니, 다들 어찌 그리 훌륭하게 변한 건지. 그러거나 말거나 여자는 나지막하게 넋두리를 늘어놓았다.

"그러고 보니까 세월이 참 많이도 흘렀네. 그때는 아빠도 살아 계시고 엄마도 정정했고 그 사람들도 참 쓰잘머리가 없었는데."

어머니는 딸에게 그저 미안할 따름이었다. 어쩌면 그녀가 자신보다 더 현명하게 험난한 세상을 헤쳐 나가고 있었는데 괜히 주제넘은 참견을 한 것 같아서였다.

서른 개의 쓰잘머리
없는 이야기들

1판 1쇄 발행 2023년 05월 01일

지은이 최지운
펴낸이 정원우

기획총괄 제갈승현
디자인 조효빈
교정교열 김태경
펴낸곳 어깨 위 망원경

출판등록 2021년 7월 6일 (제2021-00220호)
주소 서울시 강남구 강남대로 118길 24 3층
이메일 tele.director@egowriting.com